»Alt und Alt ist zweierlei.« Den Beweis dafür treten die beiden niederländischen Journalistinnen Anne Biegel und Heleen Swildens in ihrem Briefwechsel an. Vierzig Jahre lang waren sie Kolleginnen, haben gemeinsam Artikel verfaßt, Pläne geschmiedet und eine ganze Skala von Emotionen durchlebt. Im Laufe der Zeit vertrauten sie sich gegenseitig all jene ungreifbaren Dinge an, die dem Menschen widerfahren, wenn er älter wird. »Sie schrecken vor keinem Tabu zurück und gehen mit ihren Erkenntnissen, mit allen Gedanken und Empfindungen, die zum Altern gehören, weder sentimental noch zimperlich um. Ein Buch, das zum Nachdenken auffordert über eigene Erfahrungen, eigenes Erleben. Ein Buch auch, das mit seinem leisen Humor und einem Hauch von Wehmut und Abschiednehmen nicht schnell vergessen werden kann.« (Zeitlupe)

Anne Biegel
Heleen Swildens

Wo ist denn meine Brille?

Briefwechsel zweier Frauen
über das Älterwerden

Aus dem Niederländischen
von Hanne Schleich

Deutscher Taschenbuch Verlag

Von Anne Biegel und Heleen Swildens
sind im Deutschen Taschenbuch Verlag erschienen:
Mitreden ist Gold (dtv großdruck 25107)
Lust und Plage der späten Tage (dtv großdruck 25145)

Ungekürzte Ausgabe
April 1995
17. Auflage September 2009
Deutscher Taschenbuch Verlag GmbH & Co. KG,
München
www.dtv.de
© 1987 Uitgeverij J. H. Gottmer/H. J. W. Becht b. v.
2060 AD Bloemendaal
Titel der niederländischen Originalausgabe:
›M'n bril in de ijskast‹
© 2002 der deutschsprachigen Ausgabe:
Verlag Ernst Kaufmann GmbH, Lahr
Deutsche Erstveröffentlichung: Heilbronn 1989
Umschlagkonzept: Balk & Brumshagen
Umschlagbild: Rotraut Susanne Berner
Gesamtherstellung: Druckerei C. H. Beck, Nördlingen
Gedruckt auf säurefreiem, chlorfrei gebleichtem Papier
Printed in Germany · ISBN 978-3-423-25100-6

Gebet eines Klosterfräuleins
aus versunkener Zeit

O Herr –
Du weißt es besser als ich selbst:
Ich bin nicht mehr die Jüngste,
und bald werd' ich sein
ein altes Weib.

Gib,
daß ich weder der Geschwätzigkeit verfalle
noch dem eitlen Drang,
das Wort zu reden
jedem Thema,
jeglicher Gelegenheit.

Befrei' mich von der Sucht
zu lösen jedermanns Problem.
Bewahre meinen Geist
vor der Versuchung,
endlos abzuschweifen in Details –
laß ihn gesammelt
und auf sanfter Schwinge
flugs gelangen zu der Dinge Kern.

Verleih' mir soviel Taktgefühl
als wie es braucht,
die Klage eines Trostbedürftigen

geduldig anzuhör'n,
doch mir versiegele die Lippen
vor dem eig'nen Leid;
es werden meiner Mißlichkeiten mehr und mehr,
und mit der Zeit
wächst auch die Lust daran,
sie aufzuzähl'n.

Schenk mir die glorreiche Erkenntnis,
daß auch ich
mich irren könnt'!

Gib mir an Liebenswürdigkeit
ein redlich Maß.
Möcht' keine Heilige zwar sein
(als Nachbarn sind sie schrecklich unbequem!),
doch keins auch jener säuerlichen alten Weiber,
die des Teufels Freude sind.

Mach, Herr, mich weise,
aber laß nicht zu,
daß ich ein Besserwisser sei.

Amen

Liebe Ann –

bevor alte Menschen völlig emanzipiert und als solche in die Gesellschaft integriert sind, wird wohl noch viel Zeit vergehen. Es würde voraussetzen, daß man sich selbst annähme – und damit tue ich mich ziemlich schwer. Ich sehe mich so, wie mich ein Unbeteiligter betrachten würde: alt, ein bißchen verschrumpelt. Was? Du willst noch mitmischen? Na, hör mal!

Das wäre ja weiter nicht tragisch, wenn ich mir nicht selbst all der Gebrechen und Mängel bewußt wäre, mit denen ich zu kämpfen habe.

Es geht los bei ganz harmlosen Dingen; da flattert mir zum Beispiel die Einladung zu einer kleinen Feier auf den Schreibtisch – »U. A. w. g.«*

Meine erste Reaktion ist Freude: Ach ja, wie nett! Leute treffen, denen man sonst nur selten begegnet…

Doch dann: Was – um Himmels willen – soll ich da! Freut sich überhaupt jemand, wenn ich komme? Außerdem hat mich die Erfahrung gelehrt, daß ich mich auf Parties zumeist todunglücklich fühle.

Ich sage also ab, und nachher tut's mir leid. Woraus zu folgern wäre, daß man seine eigene

* Um Antwort wird gebeten.

Person für nicht weniger wichtig halten sollte als andere. Es gibt nur ganz wenige Menschen, deren Bedeutsamkeit man auch dann erkennen würde, wenn sie sich in eine Ecke verkriechen oder sonstwie unsichtbar zu machen versuchten.

Gottlob ist die Wirklichkeit ja zuweilen gnädiger mit uns, als wir selbst es sind, so daß man gelegentlich auch mal Pluspunkte sammeln kann. Gestern war ich auf einem Kongreß, und ich bemerkte, daß der Herr am Podium aufmunternd zu mir herüberblickte.

»Kennen Sie mich?« fragte ich zögernd, und er darauf: »Aber sicher!«

Also geht man doch nicht einfach unter in der zunehmenden Masse ergrauter Häupter.

Wobei ich zugeben will, daß ich die wachsende Überalterung manchmal selber beängstigend finde. Wo steuern wir hin – mit diesem erschreckenden Prozentsatz von alten Menschen? Es ist etwas Niedagewesenes; wir werden lernen müssen, damit zu leben, und zwar nicht nur wir Alten selbst, sondern auch die jungen Leute und die des »midlife«. Wir sollten uns vor allem wehren gegen die Verherrlichung des Jungseins, womit wir ja von allen Seiten her konfrontiert werden; es wird uns zugerufen, zugesungen und spöttisch klargemacht, daß nur die Jugend, das Jungsein und das uneingeschränkte Sichausleben das menschliche Dasein lebenswert zu machen vermöchten.

Wir aber – wir sind weiter nichts als alt; wir nehmen anderen den Arbeitsplatz weg oder kassieren Renten und Pensionen. Zum Glück nehmen wir – die Alten – im ökonomischen Umfeld dennoch einen wichtigen Platz ein: Das Geld, das wir einheimsen (auf welche Weise auch immer), wandert nicht in den Sparstrumpf, sondern fließt munter in ein Verteilersystem und hilft mit »to make the world go round«. In unserer gegenwärtigen Wirtschaftsordnung wiegt der Konsum genau so schwer wie die Produktion. Und weil wir Geld zum Ausgeben haben, sind auch wir von Bedeutung für andere.

Das Allerwichtigste aber ist und bleibt unser Gefühl für den eigenen Wert; wir sollten ihn uns nicht abschwatzen lassen!

Heleen

Meine liebe Taube –

so nenne ich dich (auch wenn »Heleen« ein schöner Name ist), seitdem wir vor zwölf Jahren in Leningrad waren und du eine freundliche kleine Russin nach dem Weg fragtest – »... geradeaus, mein Täubchen«, sagte sie. Ich fand es köstlich.

Es fällt dir schwer, dich selbst als alternden Menschen zu akzeptieren – du siehst dich mit den Augen anderer. Meine eigene Erfahrung läuft darauf hinaus, daß ich mein Altsein ein wenig wie ein Chamäleon erlebe: Für junge Menschen spiele ich die Rolle einer alten Frau, während ich mit Gleichaltrigen in ganz natürlicher Wechselwirkung stehe – wir befinden uns im gleichen Lebensklima.

Es ging fast unmerklich, daß ich mir dieser Art Echo bewußt wurde. Trotzdem: Wenn ich mit jemandem guten Kontakt habe, halte ich mich mit derlei Definitionen nicht besonders lange auf; dann bin ich einfach das, was mein »Inhalt« ist, und meine grauen Haare und die Falten in meinem Gesicht gehören dazu.

Ganz anders ist es, wenn ich mit dem Zug fahre (*nicht* mit dem Bus, denn Busse sind *das* Beförderungsmittel für *Alte*!). In einem nietenhosengefüllten Abteil kann ich förmlich *fühlen*, was man denkt: »Das alte Mensch«...* Dennoch – es bewirkt, daß ich nicht in der Masse verschwinde, sondern daß ich etwas bin: »Das alte Mensch« eben. Ansonsten sind wir in dieser auf »Jungsein« fixierten Welt einfach nicht mehr »in«.

Kürzlich stolperte ich auf einem handtuchschmalen Bürgersteig – eine noch ältere Frau am Arm führend – über zwei Burschen. Für sie waren wir nichts als ein lästiges Hindernis auf ihrem Weg, und der eine sprach es ungeniert aus: »Alte Leute sollten verrecken.«

Die Zunahme von alten Menschen ist erschreckend – damit hast du recht. Ich verstehe sogar, was die Jungen beim Umgang mit Alternden so irritiert: ihre Trägheit, die Begriffsstutzigkeit, das zögernde und oftmals törichte Verhalten im Verkehr, das Jammern über ihre Wehwehchen und das an den unmöglichsten Stellen angebrachte »... früher war das alles ganz anders –«. Dennoch: Alt und Alt ist zweierlei. Wir haben es selbst in der Hand – wir selbst können mithelfen, das fatale Image »altes Mensch« zu entzerren. Wir haben eine Menge Wertvolles anzubieten: Erfahrung,

* *das ... Mensch* ist in diesem spezifischen Sinne nicht zu übersetzen. Damit gemeint ist – mit welchem Zusatz auch immer – ein *weiblicher* Mensch. Ohne Adjektiv (... das Mensch –) wird ein Gefühl des Mitleids oder des Mitfühlens, gelegentlich auch der Geringschätzigkeit ausgedrückt.

Ruhe und ein untrügliches Gefühl für den relativen Wert der Dinge.

Übrigens: »*Altes Mensch*« – das gilt nie für einen Mann, sondern nur für Frauen. Und wenn ich's mir recht überlege, dann gibt es auch für den Begriff »altes Weib« kein männliches Äquivalent. Daß sich die Unduldsamkeit mit dem Alter hauptsächlich gegen alte Frauen richtet, mag daher kommen, daß sie von jeher in der Überzahl waren.

Das einzige, wodurch wir das Wohlwollen unserer Mitmenschen erobern können, ist das Bewußtsein der eigenen Würde. Wir sollten uns nicht mit der Rolle geduldeter Mitläufer abfinden, sondern uns als positiv Dazugehörige zeigen. Voraussetzung dafür ist allerdings, sich selbst zu akzeptieren. Und weißt du, was ich dabei für unabdingbar halte –? Den Humor. Wenn du merkst, daß du dich irgendwie blödsinnig benimmst: in den falschen Zug steigst, Schwierigkeiten mit der richtigen Uhrzeit hast oder zu stottern anfängst, wenn dir irgend jemandes Namen nicht rasch genug einfällt, mußt du dich darüber amüsieren können; in Deutschland sagt man: Humor ist, wenn man trotzdem lacht.

Ann

Liebe Ann –

ich fürchte, daß mein Gefühl für Humor nicht besonders stark entwickelt ist. Meine Zerstreutheit währt jetzt schon seit so vielen Jahren, daß ich es nicht einmal mehr komisch finden kann. Im Gegenteil – es macht mich nervös und veranlaßt mich zu unfreundlichen Monologen. »... immer das gleiche!« (das ist die fast stereotype Einleitung –) »Warum paßt du nicht besser auf – benutz gefälligst deinen Verstand!« Und das sage ich nicht nur wehmutsvoll seufzend, sondern notfalls auch laut und grob.

Andererseits bin ich gelegentlich ganz erstaunt über das Maß dessen, was ich mit Gleichmut zur Kenntnis nehme: ein bißchen schlechter zu sehen oder zu hören, oder auch die Stelle auf meinem Kopf, wo das Haar nicht mehr so üppig sprießen will. Natürlich sollte es sich in Grenzen halten, aber was ich in früheren Jahren als Katastrophe betrachtet hätte, das nehme ich jetzt einfach hin und lebe damit weiter.

In schlaflosen Nächten schlage ich mich zwar auch einmal mit dem Gedanken herum, welche Formen der Verfall schließlich annehmen könnte, aber am nächsten Morgen stehe ich auf (ein bißchen angeschlagen zwar – schließlich braucht der Mensch seinen Schlaf) und bemühe mich, mein Dasein wieder in die richtigen Proportionen zu bringen.

Wenn du übrigens sagst, daß du dich in einem Abteil voll Nietenhosenvolk nicht wohlfühlst, dann beschreibst du genau das, was ich selbst auch so ausdrücken würde: Zu Hause und in gewohnter Umgebung akzeptiert man sich selbst und weiß, daß man auch von anderen angenommen wird. Doch sobald man sich als Individuum von einem Hintergrund abhebt, der einem nicht ohne weiteres wohlgesonnen ist, überfällt einen rasch wachsende Unsicherheit; als Beispiel: Zusammenarbeit mit Leuten, die jünger sind, als man selbst es ist. Gottlob ist heutzutage *jedermann* zerstreut und vergeßlich – was möglicherweise zusammenhängt mit dem Übermaß an Informationen und Zerstreuung, das sich über unsere Häupter ergießt. Ich habe mir sagen lassen, daß manche Leute sich allein fürs Wochenende zehn oder zwölf Videofilme ausleihen und sich dann zwei Tage lang den Magen damit überladen. Wie verträgt ein denkender Mensch solche Vergewaltigung –?

Sicher, ich bin's nicht allein, die allerhand wichtige Einzelheiten einfach vergißt, aber wenn solche Dinge dann zur Sprache kommen und jemand anderer ruft erleichtert aus »... ach ja, das stimmt! Jetzt erinnere ich mich genau –«, dann kann es mir passieren, daß ich Stein und Bein schwöre, noch nie davon gehört zu haben; bei anderen scheinen solche Dinge in eine Art Vorratskammer zu fallen, während sie bei mir im »outer space«* landen – irgendwo im Weltraum und auf Nimmerwiedersehn. Mein Gedächtnis muß so etwas wie ein grobes Sieb sein, durch dessen Löcher jeden Augenblick etwas Wichtiges verlorengehen kann; vielleicht schwebt es noch eine Zeitlang zwischen Himmel und Erde herum, und gelegentlich findet auch ein Fetzen davon in meine grauen Zellen zurück, aber alles in allem muß ich einfach zugeben, daß mein Erinnerungsvermögen sehr unzuverlässig geworden ist. Vor längerer Zeit habe ich einen Artikel geschrieben, den ich ›Guten Tag, Gedanken!‹ nannte und worin ich mich über diese Unzuverlässigkeit, die man in der Amtssprache als »Verheimlichung von Tatsachen« bezeichnen könnte, beklagt habe. Es brachte mir einen sehr ernsthaften Brief von einem Leser ein. Seine Frau leide an Gedächtnisverlust, schrieb er, und ob ich wisse, was man dagegen tun könne. Als ich es las, begriff ich plötzlich, daß ich noch gar kein Recht hatte, mich über ein solches Thema auszulassen. Denn es ist ja selbst heute noch so, daß ich allerhand behalten kann: ausgefallene Namen oder ungewöhnliche Tatsachen. Das Vertrackte ist, daß mein Gedächtnis mich ausgerechnet an den aller-

* im Weltall

simpelsten Stellen im Stich läßt; heißt zum Beispiel der schrecklich wichtige Beamte, von dem ich etwas will, nun BRAUN oder WEISS? Oder ist sein Name um Himmels willen vielleicht *doch* SCHWARZ?? In diesem Zusammenhang zitiere ich immer gern meine Tante, die jemandem begegnete, von dem sie mit Sicherheit wußte, daß sein Name etwas mit militärischen Rängen zu tun hatte. Sie hob die Hand zum Gruß und rief fröhlich: »Hallo, Mijnheer Corporaal!«* Der Mann hieß ADMIRAAL –.

Nun ja – mit sowas kann man natürlich bei jung und alt stürmische Heiterkeit ernten!

Aber laß uns für einen Moment auf die Frage zurückkommen, ob alte Leute endgültig in Ungnade gefallen sind: Es gibt – trotz allem – noch das Bedürfnis, unsere Meinung zu hören; du selbst bist doch gerade erst – zum soundsovielten Mal – um eine Stellungnahme gebeten worden! Schreib mir mal, worum es ging.

Heleen

* Unteroffizier

Liebe Taube –

ja, so ist es: Die Dinge verschwinden aus unserem Leben – ins »outer space«.

»Weißt du das *wirklich* nicht mehr«, fragt jemand mich ungläubig, »daß du mit diesem oder jenem da (oder dort) warst –?«

Nein, ich weiß nichts dergleichen; die Tür zum Damals, dahinter es verborgen sein muß, ist hermetisch verschlossen – ich kriege sie keinen Fingerbreit mehr auf. Manchmal ängstigt mich das sehr.

Mit vergessenen Namen ist es anders, bei intensivem Nachdenken stellen sie sich manchmal wieder ein. Man erinnert sich zum Beispiel daran – und das scheint auch anderen Leuten so zu gehn –, daß ein a oder o darin vorkommt, und komischerweise scheint der Klang eine große Rolle zu spielen – etwa so, als verfüge das Gedächtnis auch über ein Hörgerät.

In der Fachliteratur über Alte – (ach nein – so darf man sie ja nicht mehr bezeichnen!) – über Senioren also, entdecke ich, sofern ich mich überhaupt damit befasse, immer wieder Darlegungen von gelehrten Herren, wonach der Gedächtnisschwund zu den *lästigsten Beschwerden* des Altwerdens zählt. Sie versichern in wortreichen Umschreibungen, daß Abhilfe möglich sei. Gut – aber wie? Das bleibt im Nebel. Noch sind sie ja nicht selbst davon betroffen, und sollten sie jemals so alt werden, daß sie sich darüber grämen müßten, den Namen ihres Hundes nicht mehr zu wissen, wäre es ohnehin zu spät – auch für sie.

Bei jedem Erwachsenen sterben pro Tag fünfzigtausend Gehirnzellen ab. Das ist ganz normal und muß so sein – es bleiben uns immer noch Milliarden. Dennoch fürchte ich, daß etwa jenseits des sechzigsten Geburtstags die grauen Zellen – speziell die mit den Informationen für Namen – anfangen, einfach aus unserem Gehirn wegzufliegen. In einer Fachzeitschrift für Geriatrie schrieb eine alte Frau zum Kapitel Nicht-mehr-aufs-richtige-Wort-Kommen: »... als erstes verschwinden die Namen, dann die Hauptwörter; die Tätigkeitswörter haften am längsten.« Stimmt genau. Ich benötigte eine Schere, konnte aber nicht so schnell auf die Bezeichnung »Schere« kommen und sagte zu meiner Tochter: »Gib mir doch mal d... öh... och, verflixt: das Ding zum Schneiden ...«

Eine Bekannte, die unter den gleichen Beschwerden zu leiden hat, formuliert es so: »Es liegt mir auf der Zunge, aber ich kann es nicht aussprechen.«

Das Ärgerlichste am Gedächtnisschwund ist das Unvermögen, Dinge, die eigentlich von selbst im Gedächtnis haften müßten, zu reflektieren – wieder »drauf zu kommen«. Ich gerate jedesmal in

Panik, wenn ich nach dem Einkaufen plötzlich nicht mehr weiß, wo ich mein Fahrrad abgestellt habe.

Vielleicht gibt es ja wirklich Arzneimittel, die dem einen oder anderen helfen, sein Konzentrationsvermögen ein bißchen auf Trab zu bringen. Aber ich vermute, daß Gedächtnisschwund als Altersfolge ebenso wenig zu reparieren ist wie ein Riß in der Borke eines alten Baumes.

Vor etwa 15 Jahren habe ich meinen Homöopathen gefragt, ob er mir etwas verschreiben könne, womit ich russische Vokabeln besser behielte (du weißt ja: Ich habe viel zu spät mit der russischen Sprache angefangen!). Er schrieb mir auch prompt etwas auf, aber leider weiß ich nicht mehr, was es war. Ich habe mir soeben die englische ›Materia Medica‹ – das Große Lexikon der homöopathischen Arzneimittel und ihrer Wirkung – angeschafft. Es ist eine ganze Reihe von Heilmitteln für Gedächtnisschwund darin aufgeführt, und zwar getrennt nach Vergeßlichkeit bei Personen- oder Straßennamen und für den Fall, daß man (verflixt!) nicht auf ein bestimmtes Wort kommen kann. Nun, in puncto Altersvergeßlichkeit ist das letzte Wort bestimmt noch nicht gesprochen.

Du fragst nach den jungen Interviewerinnen, die in letzter Zeit bei mir waren, und ob sie sich gegenüber meinem Altsein ablehnend verhielten oder nicht. Mein Eindruck war, daß sie an dem, was ich ihnen über meine Erfahrungen als eine der ersten Zeitungsjournalistinnen erzählen konnte, sehr interessiert waren. Jetzt, vierzig Jahre *nach* dieser Zeit, scheinen solche Informationen für junge Journalistinnen wichtig zu sein – einfach »in«. Nein, ich hatte keineswegs das Gefühl, als betrachteten sie mich als Fossil oder so was – im Gegenteil: Sie zeigten Neugier und großes Interesse für alles, was ich ihnen aus der Vergangenheit überliefern konnte.

Was mich betroffen machte, war, daß diese junge Generation keine Ahnung von der Art und Weise hat, wie völlig anders *vor* dem Weltkrieg über Frauen und von Frauen selbst gedacht wurde; und daß es – wenn man als Frau sein Leben in die eigene Hand nahm – einen ununterbrochenen Kampf gegen die öffentliche Meinung auszufechten galt.

Einer von ihnen versuchte ich deutlich zu machen, auf welch ungeahnte Weise die Frauen *nach* dem Krieg ihre Chance bekamen. Sie verstand es nicht. »Wieso?« drängte sie. »Wie kam das denn?« Ich begriff, daß diese Fünfundzwanzigjährige mit ihrem Mäusefraß-Haarschnitt – in knielanger Hose, Schlabberpulli und mit Freund auf der eigenen Bude, mit meiner Story auf Band und dann »up and away«* mit ihrem kleinen

* auf und davon

Flitzer – sich unmöglich in die Welt von damals versetzen könnte; in eine Welt, in der es für die Frauen – eingezwängt in ihre Kleider und eingeschlossen in die Familie – so gut wie keine Möglichkeit gab, ein selbständiges Leben zu führen oder eigene Entschlüsse zu fassen. Für sie war es ebenso undenkbar, wie – umgekehrt – ein Vogel im Wald ermessen könnte, was es hieße, in einem Käfig eingesperrt zu sein.

Deine vergeßliche Ann

Liebe Ann –

für manche Menschen scheint das Altsein eine etwas ausgefallene Attraktion darzustellen. Auch dir geht es ja so, daß du am laufenden Band interviewt, um Rat gefragt, zu Plaudereien am Kamin oder zu Gesprächsrunden sowie zur Mitwirkung bei Anthologien oder Schulprojekten aufgefordert wirst.

Mein fünfundsiebzigjähriger Schwager, der – *nolens volens* – noch beruflich tätig ist, wird von seinem Kompagnon anläßlich von Begegnungen mit Geschäftsfreunden als Kuriosität vorgestellt:

»Raten Sie mal, wie alt Herr P. ist –« Er selbst empfindet es als entwürdigend.

Kürzlich hatte ich auf einer Tagung das sonderbare Gefühl, nicht für voll genommen zu werden – das heißt: nicht wie ein normaler Mensch behandelt zu werden, sondern wie eine Art Sehenswürdigkeit nach dem Motto: »Sieh mal – die schreibt noch!« oder: »Die redet tatsächlich ganz schön mit …«

Vielleicht hängt es damit zusammen, daß sich die gegenwärtigen Geschichtsforschungen wieder mehr mit mündlichen Überlieferungen beschäftigen. Einerseits ist das ja sehr erfreulich, denn den schriftlichen Quellen fehlen häufig ausgerechnet die Auskünfte über das, was die Dinge sozusagen in Gang gebracht hat. Andererseits aber ist auch die mündliche Überlieferung nur bedingt zuverlässig, weil den Fragestellern die Kenntnis des Kontextes fehlt und man selbst nicht in der Lage ist, alle Facetten in der Gesamtheit ihrer wechselseitigen Zusammenhänge erschöpfend zu beschreiben. Wenn ich später lese oder höre, wie sie die von mir geschilderten Geschehnisse wiedergeben, erkenne ich sie manchmal nicht wieder; es fehlt einfach etwas.

Und da lauert *noch* eine Gefahr: Großer Applaus ist einem sicher, wenn man bei seinen Erzählungen über das *Damals* den Nachdruck auf alle möglichen unangenehmen Unfreiheiten legt. Oft genug ertappe ich meine Altersgenossinnen bei diesem Hang zu abenteuerlichen Histörchen, in denen es nicht schlimm genug hergehen kann: Sie wurden gedemütigt, waren bettelarm, durften rein gar nichts – niemand hatte je etwas von Sex gehört (obwohl er anscheinend doch praktiziert wurde) – kurzum: finsteres Mittelalter.

Zugegeben: Sich der Vergangenheit authentisch zu erinnern fällt schwer. Die Erinnerungen wachsen mit uns, sie überwuchern die Wahrheit und vermischen sich mit späteren Eindrücken; unwillkürlich färbt man seine Erzählungen mit dem, was man neuerdings denkt, weiß oder sich an Kenntnissen erobert hat. Man hat zwar die ehrliche

Absicht, sich an Fakten zu halten, aber die Geschichte gleitet einem aus der Hand – ist nicht mehr zu halten; es ist DAMALS.

Eigentlich hat man als alter Mensch (ob ich den Terminus SENIOR wirklich übernehmen will, muß ich mir noch sehr überlegen! Er mutet mich so euphemistisch an – wie ein Schamtuch, das einen davor bewahrt, »alt« sagen zu müssen!) – als alter Mensch also hat man quasi eine doppelte Aufgabe. Punkt eins: Man hat mitzuleben auf seinem angestammten Platz – mitzuwirken am Leben, so wie es jetzt praktiziert wird, sich konstruktiv zu den modernen Verhältnissen zu äußern und sich vor allem nicht einzubilden, irgend etwas sei beständig. Punkt zwei: Bewußt sein Altsein zu erleben; offen zu sein nach beiden Seiten also. Und nicht nur still vor sich hinzualtern, sondern sozusagen als Bannerträger vorauszumarschieren und das Altwerden sichtbar zu machen.

Ein bißchen viel auf einmal, wahrhaftig. Ich finde es schwierig. Einmal beteilige ich mich am Heute, als lägen noch Jahrzehnte vor mir – muß dies oder jenes: etwas regeln, arbeiten, mir Gedanken über etwas machen, Zeitungen lesen, *up to date* bleiben. Wo sind die Verwandten und Freunde? Müßte man etwas für sie tun – vergißt man auch niemanden?

Und dann starrt man plötzlich verwundert vor sich hin und versucht sich klarzumachen, daß einem die Zeit unaufhaltsam davonläuft ... Sollte man nicht Vorbereitungen für die letzte Reise treffen –?

Heleen

Liebe Taube,

ich glaube, daß sie meine Erfahrungen nicht deswegen hören wollen, weil ich jetzt achtzig und dennoch mit allen möglichen Dingen beschäftigt bin, sondern weil – wie du selbst ausführst – sich die Geschichtsforscher wieder mehr an mündlichen Zeugnissen orientieren und weil es spannender ist, sich von damals erzählen zu lassen, als darüber zu lesen. Es sind ja zumeist die spontan eingeflochtenen kleinen Nebensächlichkeiten, die ein Zeitbild abrunden oder festhalten. Als ich meinem vierzehnjährigen kleinen Freund einmal erzählte, auf welche Weise mein Vater zu Beginn dieses Jahrhunderts die Fotografien entwickelte, die er von uns Kindern gemacht hatte, hörte er mir begierig zu: wie Vater sie aus dem Fixierbad fischte, wie er die nichtssagenden nassen Fetzen in Glasrähmchen spannte und sie in die Sonne setzte – bis ganz langsam das Bild darauf erschien… Wenn ich mich solcher Dinge erinnere, wird mir zuweilen bestürzend klar, mit welch unvorstellbarer Geschwindigkeit sich die Technik entwickelt hat.

Ob man die Geschehnisse von damals angemessen erzählt – das heißt: ohne sie aufzubauschen oder zu dramatisieren, das hängt natürlich vom Erzähler selbst ab – nicht anders als beim geschriebenen

Wort. Es enthält immer die ganz persönliche Note. Worum es *mir* geht, ist der Versuch, das richtige Fluidum spürbar zu machen:

In meiner Erinnerung ist das Leben *vor* dem Krieg etwas von einem ganz anderen Planeten. Könnten *wir* uns das Leben vorstellen, wie es im Mittelalter war – ohne Fernsehen, Rundfunk, Zeitung oder Post, mit keiner weiterreichenden Verbindungsmöglichkeit als einem Pferderitt, mit der Urangst vor unbegreiflichen Krankheiten und unmittelbar drohender Hungersnot –?

Wir könnten es genauso wenig, wie es die jetzige Generation vermag, sich ohne lebende Zeitzeugen die vergangene Epoche zu vergegenwärtigen.

Wir alten Menschen sind für die Gemeinschaft unentbehrlich, und du hast recht, das Wort SENIOREN euphemistisch zu nennen; warum nicht »alte Menschen«? Wir gehören dazu wie alte Buchen oder Eichen zum Wald. Ist es ein Vergnügen, durch eine Schonung zu wandern – mit nichts als jungen Trieben, so weit das Auge reicht? Erst der Anblick eines jener herzbewegend schönen alten Bäume – den Horizont säumend oder unvermutet ins Blickfeld geratend, verwandelt das öde Einerlei in Harmonie und vermag uns einen Jubelruf zu entlocken: »Sieh doch …!« Das *Gleichgewicht* ist hergestellt.

Für mich grenzt die Art und Weise, wie gegenwärtig auf den Begriff »alt« im Zusammenhang

mit Menschen herabgeschaut wird, an Kultur-
schande. In Ländern, aus denen auch unsere
Gastarbeiter kommen, ist dies wesentlich anders.
Wenn ich kofferbeladen einen Zug erklimmen
will, und es bietet sich jemand an, mir zu helfen,
ist das in vielen Fällen ein Türke oder ein Marok-
kaner – auf jeden Fall aber jemand aus einem
Land, in dem man Respekt vor alten Menschen
hat und es eine Selbstverständlichkeit ist, ihnen
behilflich zu sein; und wenn ich »Respekt« sage,
dann meine ich das auch so, denn ein alter Mensch
ist eine Persönlichkeit, die ihr Leben gelebt hat,
was an sich schon eine schwierige Aufgabe ist. Vor
allem für diejenigen, die trotz ihres Alters noch
mithalten müssen in dieser stets chaotischer werdenden Welt, wenn sie nicht nur dahinvegetieren
wollen – wie es noch viel zu oft vorkommt. Ich
finde es bewundernswert, daß du beispielgebend
beim Altwerden vorangehen willst, aber dabei werden doch deine physischen Kräfte auch noch ein
Wörtchen mitzureden haben! Was kannst du wirklich noch leisten? Was kann dein übervolles Gehirn noch verarbeiten –? Eines jedenfalls ist sicher:
Wenn aus deinem Altwerden kein Hindernisren-
nen werden soll, mußt du dich hüten, deine Grenzen zu überschreiten. Und das ist für dich, die mit
einem inneren Motor auf die Welt gekommen zu
sein scheint, wahrscheinlich nicht zu bewerkstelligen. Nicht blindlings weiterzulaufen, sondern sich

an seine Möglichkeiten zu halten, gehört *auch* zu den Disziplinen des vernünftigen Alterns.

Übrigens meine ich, daß man das Alter nicht unbedingt als Aufgabe betrachten sollte – es hat keinen Sinn, sich ständig mit dem Gedanken daran herumzuschlagen. Es stellt sich ganz von selber ein, unabwendbar und ohne unser Zutun, und im Gegensatz zu einer Grippe geht es auch nicht mehr vorbei. Man muß damit weiterleben und zu bleiben versuchen, wer oder wie man ist. Wenn mich jemand anruft und fragt, wie es mir gehe, und wenn ich mich gerade todmüde oder benommen fühle, sage ich: »O prima – ganz normal alt.« Kürzlich antwortete ich auf die gleiche Frage: »Gut – aber ich werde alt.« Die Reaktion war umwerfend: »Ach was – du wirst doch nicht alt! Du *bist* es!« Wir mußten beide darüber lachen.

Tatsache ist, daß es fürs Altern ähnliche qualitative Unterschiede gibt wie fürs Jungsein. Eines haben wir Alten allerdings gemeinsam: Das Ende unseres Weges wird mehr und mehr erkennbar, und je näher wir ihm kommen, um so deutlicher zeigt es sich als Faktum, das wir bei allem, was wir in Angriff nehmen, einkalkulieren müssen.

Deine alte Ann

Um einmal mit anderer Anrede zu beginnen: Geliebte Freundin (wie meine teure Polin Danuta immer schreibt)! »Geliebte Freundin«...

Wahrscheinlich würde es uns nie in den Sinn kommen, so etwas zu sagen oder zu schreiben. Aus Danutas Mund oder Feder schockiert es mich nicht – im Gegenteil: Solche Anrede macht es mir leicht, auch meinerseits Gefühle von Liebe und Freundschaft zu zeigen; womit ich mich unter normalen Umständen ziemlich schwer tue.

Gehen wir also zur Tagesordnung über.

Am schönsten wäre es natürlich, wenn man sich in unserem Alter nach festgelegten Plänen zurückziehen würde; das Altern oder Altsein wäre eine harmonische Beschäftigung. Aber wer könnte schon im voraus wissen, was im nächsten Augenblick mit ihm passiert! Was bis zu einem bestimmten Zeitpunkt selbstverständlich war, wird plötzlich unmöglich. Natürlich weiß man hinterher die Anzeichen zu deuten – man erkennt den seit langem schwelenden Prozeß, aber das gebieterische »Schach!« erfolgt dennoch unerwartet.

Und danach klappt von all den ganz normalen Dingen gar nichts mehr – weder das Radfahren noch die große Wäsche oder die fällige Ansprache bei einer Tagung, nicht die kleine Party, nicht der

Ehrenjob als Babysitter bei den Enkeln (*ohne* ernst-haft in Panik zu geraten!) und schon gar nicht, feh-lerlos zu tippen oder hinter der Straßenbahn her-zurennen.

Man wird schwerhörig – und möchte noch so gern zuhören; die Sehkraft schwindet, und dabei schaut man doch so gern zu...

Essen und Trinken spielen im Leben (jedenfalls in *meinem*) eine große Rolle, und auf einmal ver-ordnet der Hausarzt Enthaltsamkeit – »... dies besser nicht, und jenes auf keinen Fall!«

Ein Taxifahrer meinte gestern gesprächsweise: »Also, ich weiß nicht ... Wenn ich nicht mehr darf, was ich möchte – dann lohnt es sich doch nicht mehr!«

... lohnt sich nicht mehr – nun ja. Aber weiter-leben muß man trotzdem, denn Beschränkungen – soweit sie innerhalb ihrer Schranken dennoch Le-bensraum lassen – sind kein Grund, einfach die Flinte ins Korn zu werfen. Also stolpert man wei-ter auf immer schmaler werdenden Pfaden; es dreht sich darum, was man noch kann, aber es geht auch um das, was man mit Anstand aufzuge-ben bereit ist. Bei mir geht es sehr ruppig zu, lei-der. Ich bezahle mit meiner Gesundheit – ich fühle mich zu Tode erschöpft und habe Angst, nie mehr über diesen Zustand hinwegzukommen.

Doch die Erfahrung kommt einem zu Hilfe; sie

hat mich gelehrt, daß unser Leben in Wellenbewegungen verläuft: Einmal geht es in rasendem Tempo abwärts (Hiiilfe! Helft mir doch!!), aber irgendwann verebbt die Flut, und vielleicht geht es sogar ein klein wenig wieder aufwärts. Und in der Zwischenzeit lernt man, sich an ganz bescheidenen Dingen zu freuen – an Dingen, die man vorher nicht einmal zur Kenntnis nahm. Auch »Nicht-mehr-Müssen« kann ein angenehmes Gefühl sein, und gelegentlich betrachte ich Menschen, die zwangsweise noch voll in den Lebenskampf eingespannt sind, geradezu mit Grausen. Wie betäubend! Was für ein Streß! Auch meinen hastenden und schuftenden Kindern würde ich so gern etwas Muße gönnen – aber sie selbst finden meine beschwörenden Vorhaltungen eher hinderlich. Natürlich gestehen sie mir zu, daß ich nur ihr Bestes im Auge habe (für diese Erkenntnis sind sie reif genug), aber ich habe nie das Gefühl, daß sie mit meinen Lebenserfahrungen auch nur das geringste anfangen könnten.

Früher habe ich geglaubt, ich könnte sie bewahren vor den Fehlern, für die ich selbst so bitter bezahlt habe. Vergiß es! Sie gehen die gleichen gefährlichen Wege – sie lachen, wenn ich »Vorsicht!« rufe, oder sie erklären mir, daß und wieso heutzutage alles ganz anders sei ...

Und dabei ist es doch immer dieselbe alte Leier –
jetzt wie früher. Du kennst das Lied von den
Bären, wie sie die Brötchen mit Honig beschmie-
ren (ik zag de beren de broodjes smeren ...):*

»... stand dabei und sah es wohl ...«

Ich hab' immer *so* gehofft, etwas für diese Welt
tun zu können ...

Deine ins Abseits gedrängte Taube

---

* Es besteht aus einer langen Folge von Metaphern wie
»... wo die Affen Nüsse raffen (usw.)« und mag hier als
Parabel für die scheinbare Sinnlosigkeit von immer wieder-
kehrenden Schemata oder Gleichklängen gelten. (Anm. d.
Übers.)

Ja, »geliebte Freundin« –

dies lasse ich nun in des Wortes tiefster (und alt-
modischer) Bedeutung als Echo zu dir zurückkeh-
ren. Auch das Wort »Freundin« hat ja in der allgemein herrschenden Begriffsverwirrung einen
fragwürdigen Beigeschmack bekommen. Eine
Freundschaft wie die unsere, die vor vierzig Jahren
begann, da wir uns beim »Zeitungmachen« als
Kolleginnen begegneten und verstanden, bleibt
etwas, wofür man dankbar sein muß; es gehört zu
den Kostbarkeiten des Lebens, die man sich, wenn
man altgeworden und einem so manches entfallen
ist, hin und wieder vor Augen führen sollte.

Manchmal habe auch ich das Gefühl, daß mein
»Abgang« (um es nicht romantischer auszudrük-
ken, als es ist) bereits seit langem um mich her-
schleicht und mich bedroht – daß er mich zwar
gelegentlich wie zum Spaß entfliehen läßt, mich
hinterher aber wieder um so fester packt.

Genaugenommen fing das schon an, als ich
noch durchaus jung und ansehnlich war: mit dem
ersten weißen Haar, mit dem mich der Spiegel absolut unvorbereitet konfrontierte. Nach mehr als
vierzig Jahren weiß ich immer noch, daß es mir
kalt den Rücken hinunterlief – es war der Tod, der
auf einmal ganz in meiner Nähe stand. Und als ich
unmittelbar danach – noch mit ausgezeichneter

Sehkraft – unter das Messer eines »Myomen-schlächters« geriet (eine von meinen Freundinnen nannte den Gynäkologen so) und dieser mein Hormonsystem durcheinanderbrachte, konnte ich das Buch, auf das ich mich gefreut und das ich extra für mein Krankenbett mitgenommen hatte, kaum noch lesen: Ich war ohne Vorwarnung zum Brillenträger geworden.

Aber es stimmt auch, daß – wie du es be-schreibst – Altwerden einer Wellenbewegung gleicht – es besteht aus »ups and downs«*. Manch-mal verharrt man nach dem sechzigsten Lebens-jahr lange Zeit auf einer Art Plateau**. Graham Greene schreibt in seinem Roman ›Der Honorarkonsul‹ (1973 erschienen) in Zusam-menhang mit zwei alten Männern: »Leblose Dinge sind dem Verfall mehr unterworfen als Menschen; der Riß in der Mauer eines verwahrlosten Hauses frißt sich rascher weiter als eine Linie im Antlitz eines Menschen – Farbe verblaßt eher als Men-schenhaar, und die Abnutzung eines Wohnraumes schreitet unaufhaltsam fort; und in all diesem Verfall ist nichts von dem zeitlichen Stillstand zu finden wie auf der hohen Ebene des Alters, darauf der Mensch jahrelang verbleiben kann, ohne sich merklich zu verändern …« Was für ein schöner

* Höhen und Tiefen
** Hochebene

Trost! Der Dichter weiß, wovon er spricht – er wird jetzt ungefähr achtzig sein.

Was mich betrifft – aber das muß keineswegs für jedermann gelten –, so beschäftigt mich das Altern in zunehmendem Maße. Ich stelle immer wieder Vergleiche an – »… dies (oder jenes) fiel mir voriges Jahr noch so leicht, und jetzt fällt es mir richtig schwer –«

Nicht ohne Neid auf mein jüngeres Ich erinnere ich mich der unermüdlichen Reisen, die wir in den siebziger Jahren gemeinsam unternommen haben. Jetzt könnte ich das nicht mehr verkraften: wie wir uns in Moskau geplagt haben – unsere Ängste, die Freuden und die Tränen…

Erinnerst du dich an den Besuch bei Bukowskis Mutter? Sie hatte uns von den Leiden ihres Sohnes im Gefängnis erzählt – von dem, was ihm in der Isolierzelle angetan worden war. Nachher standen wir eingezwängt in der brechend vollen Metro*, und die Tränen brannten noch in unseren Augen, als eine unförmig dicke Russin, die uns eine Zeitlang angestarrt hatte, sich plötzlich erhob und uns auf ihren Sitzplatz drängte (es war tatsächlich Raum genug für uns beide!). Ein herzzerreißendes Volk, diese Russen – wie oft haben wir uns das gegenseitig versichert!

Und wie haben wir uns amüsiert! Ich höre sie im

* Moskauer U-Bahn

Geiste immer noch kichern und prusten, als ich ihnen die Geschichte mit der Kellnerin erzählte, der ich mich verständlich machen wollte und dabei mit meinen Sprachbrocken jämmerlich herumstotterte, alle zweisilbigen Verben durcheinanderwarf und dem armen Kind zunächst den Eindruck vermittelte, daß ich schwimmen wolle (plavat) – (sie: »Ach nein, Verzeihung: Sie möchten weinen? [plakat]), bis sie endlich begriff, daß ich nichts anderes im Sinn hatte als zu zahlen – »platit«.

Und dann das unbändige Gelächter, als ich erklärte: »Ich habe ja auch viel zu spät mit Russisch angefangen – ich war schon fünfundsechzig.« Es war der Tropfen, der das Faß zum Überlaufen brachte. »Nein!« schrien sie. »Das ist nicht wahr – so was gibt's doch nicht – das *kann* nicht wahr sein: Fünfundsechzig und immer noch nicht dick …« Sie konnten sich gar nicht beruhigen, sie verschlangen mich mit den Augen und lachten, lachten…

In *ihren* Augen war ich eben nicht das, was man »alt« nennt. Womit wieder einmal bewiesen wäre, daß auch Altsein relativ ist.

Deine Anne

Anne,

ein Hilferuf zwischendurch – ich kann nicht einmal deine Antwort auf meinen letzten Brief abwar-
ten! Die letzten Jahre unseres Lebens fliegen vorbei, man kann sich in den Stürmen der Zeit kaum
noch behaupten. Kürzlich sagtest du zu mir: »Ich
brauche dringend eine ›sabbatical week‹*.« Ich verstand deinen Wunsch, die Zeit unberührt und wie
ein unbeschriebenes Blatt vor dir liegen zu haben:
keine Termine, Pflichten oder Verbindlichkeiten,
kein Telefon. Wie (im wahrsten Sinne) zeitraubend Telefonieren doch sein kann! Ich entsinne
mich, eines Abends gedacht zu haben: Was habe
ich heute eigentlich getan? Telefoniert. Also
schrieb ich in mein Tagebuch: Telefoniert. Ich
habe keine Zeit mehr zu verschenken – ich will In-
ventur machen und mich meiner verbleibenden
Mittel auf vernünftige Weise bedienen, auch,
wenn ich mir dabei vorkomme wie einer, der den
größten Teil seines Vermögens ausgegeben hat und
jetzt nachzählt, was er noch im Geldbeutel hat. –
  In ihrem Buch ›Ein sanfter Tod‹ erzählt Simone
de Beauvoir, wie ihre todkranke Mutter jeden Tag,
an dem sie nur halb bei Bewußtsein war, betrauer-
te – und das, obwohl sie an völlig klaren Tagen

* arbeitsfreie Woche, Ferienwoche

unbeschreibliche Schmerzen litt. Ich erinnere mich nicht mehr des vollen Wortlautes, aber sie nannte solche Tage »verloren« – sie war sich der Zeit nicht bewußt gewesen.

Manchmal habe ich das Gefühl, daß ich disziplinierter leben sollte, aber daran hindert mich dann wieder mein körperliches Befinden. Ich bin zum Beispiel todmüde und schlafe dennoch erst gegen Morgen ein, und dann nur für ein paar Stunden. Es hat zur Folge, daß ich nach solchen Nächten erst gegen Neun am Leben teilnehmen kann, während ich sonst bereits um sieben Uhr präsent bin.

Und dann die Ungeordnetheit des Lebens selbst: Unvorhersehbares, das einen einfach mit Beschlag belegt und worauf man reagieren muß. Nein – dagegen sind Ordnung und Regelmaß machtlos.

Andererseits lege ich aber auch Wert darauf, mich nicht an festeingefahrene Lebensrhythmen oder Denkweisen zu klammern; ich will nicht erstarren! Was nicht wegnimmt, daß ich – wenn jemand mir etwas Bestimmtes vorschlägt – zunächst mit einem unausgesprochenen sturen »Nein!« reagiere; es ist die unbewußte innere Abwehr gegen jedermann, der mir die Zeit stehlen, die unberührte Fläche vor mir angreifen will.

Um auf den Rest in meinem Geldbeutel zurückzukommen: Ich glaube, ich möchte einfach sparsam mit meiner Zeit umgehen – Tage und Stunden zusammenscharren, einen Überblick bekommen und sagen können: »Siehst du, das ist doch noch eine ganz schöne Portion.«

Man weiß ja aus Erfahrung, wie umständlich und zeitraubend sich manche Unternehmungen entwickeln. Früher ging man sie gleichmütig an, aber jetzt weiß man, daß sie sich als viel komplizierter entpuppen werden, als man ursprünglich dachte. Zum Beispiel: Ich rufe jemanden an, und wenn ich den Hörer auflege, habe ich unweigerlich ein Problem: Ich soll in einer schönen Gegend eine Pension finden, wo ein Körperbehinderter mit seiner Frau ein paar Tage ausspannen kann. Das Problem: Das Zimmer muß im Parterre liegen und die Haustür breit genug sein für einen Rollstuhl. Oder: Was fange ich mit dem Sohn meiner polnischen Freundin an, der auf Logierbesuch kommen möchte? Du kennst mein Ein-Zimmer-Appartement – also muß ich ihn anderswo unterbringen. Den Aufenthalt hier will er sich verdienen (braver Junge!). Der Pferdefuß: »… bitte, besorgen Sie mir doch einen Zeitjob; und bitten Sie die Polnische Botschaft, mich einzuladen (damit er das Visum bekommt).«

Alles Stolpersteine auf meiner schönen weißen Zeitfläche …

Heleen

Liebe Ann –

du hast mir unsere gemeinsamen Abenteuer so köstlich wieder vor Augen geführt! Erst kürzlich habe ich jemandem zu dessen großem Ergötzen erzählt, wie du beim sowjetischen Zoll inmitten eines Haufens ausgepackter Babywäsche auf all die unbescheidenen Fragen der Beamten Auskunft gabst – etwas erschrocken und blaß zwar, aber sehr würdevoll.

»Wozu brauchen Sie das alles?« schnauzte dich einer von ihnen an.

»Ich bin Babuschka*«, sagtest du ernsthaft, »und ich werde hier eine Babuschka treffen, der ich mit diesen Sachen eine Freude für ihre Enkelkinder machen kann.«

Ich weiß nicht mehr, was sie dazu meinten, aber du durftest die ganze Herrlichkeit wieder einpacken und mitnehmen.

Unseren Besuchen in der Sowjetunion verdanken wir so viele Erinnerungen – unvergeßlich schöne, aber auch schmerzliche. Manchmal waren Spannung und seelische Belastung fast unerträglich (jaja, ich weiß, daß ich alt bin und es mir nicht mehr zumuten sollte!), und als ich trotz der neuen Reiseerleichterungen auch auf meinen dritten An-

* Großmutter, »Oma«

trag hin kein Einreisevisum bekam, waren meine Gefühle sehr zwiespältig: Ich war ebenso traurig wie erleichtert.* Natürlich hätte ich mich gefreut, alles Vertraute und Geliebte wiederzusehn – die Orte, und vor allem die Menschen … Allerdings: Als ich sie im Geiste aufzuzählen begann, war das Resultat erschütternd. Nur Ira ist noch da – die anderen sind gefangen, tot oder emigriert. Die einzige, die freigelassen wurde, darf nicht in Leningrad leben, und das hätte sie doch so gern gewollt; aber »vergessen und vergeben« – das gibt's drüben nicht. Dennoch: Sacharow ist wieder da!**

Ich möchte so gerne noch einmal hin! Als ich beim letzten Mal in Leningrad erkrankte und der russische Arzt mir erklärte: »Ja, es ist ernst –«, blieb ich ganz ruhig. Erst später in Moskau, als ich zu unserem Botschafter sagte: »Ich fände es schrecklich, wenn ich nie mehr hierher zurückkommen könnte«, versagte plötzlich meine Stimme; ich mußte angestrengt aus dem Fenster blicken…

Aber so ist das Leben: Man glaubt, sich nicht trennen zu können – von was auch immer. Doch bevor man es begreift, ist es einem schon abgenommen worden.

* 1987 hat sie die Reise in die SU trotz aller Vorbehalte noch einmal gewagt und auch gut überstanden.
** Heleens Freunde und Bekannte gehören zum Kreis der Dissidenten. Andrej Sacharow ist 1989 gestorben.

Dennoch – und in einem fremden Land widerfährt es mir in ungleich stärkerem Maße – nehme ich während der Taxifahrt zum Flughafen den Anblick der mir vertraut gewordenen Straßen immer mit dem Hintergedanken auf: »Werde ich wiederkommen ... Werde ich sie je wiedersehen –?« Einmal habe ich mir sogar ein Taxi genommen, um einen letzten Blick auf das Kloster Novodewitsche zu werfen, in dem Peter der Große seine Schwester gefangenhielt: auf das Portal, den kleinen Grasplatz hinterm Kloster, die Kirchen, die schwarzgekleideten Weiblein auf der Bank rund um einen mächtigen Baum... Ich war traurig, dies alles zurücklassen zu müssen.

Aber manchmal enthält gerade die Trauer einen Kern unendlicher Dankbarkeit darüber, etwas noch einmal in seiner ganzen Schönheit und Fülle sehen zu dürfen. In diesem Frühjahr bedrängt mich dieses Gefühl besonders stark – vielleicht, weil es so lange gedauert hat, bis es tatsächlich grün und sonnig und warm wurde. Wenn ich es sehe und spüre: dieses schwelgerische Frühlingsfest mit dem lichtdurchfluteten Blattgrün, den Blüten und Blumen, dem Spiel der Sonnenstrahlen auf dem Wasser, dann überfällt mich immer wieder der Gedanke: »Es ist *zu* schön... Es ist so schön, daß es schmerzt.«

Ist das Leben nicht verrückt? Es gibt so schreckliche Dinge: die Waffen, die zerstörte Umwelt, die

Verletzung oder Ausrottung der natürlichen Lebensquellen – daß es einem fast unverständlich ist, wie man auf dieser Welt bleiben mag. Und dann scheint auf einmal die Sonne, und man kann sein Glück nicht fassen. – Ich glaube nicht, daß ich von diesem verrückten Leben je auch nur das geringste begreifen werde.

Heleen

Liebe Freundin und Kollegin –

ja, es kam noch viel verrückter: Der ruppige Zöllner in Leningrad, der mir einen Strampelanzug vor die Nase hielt, fragte mich spöttisch: »Tragen *Sie* das –?«

»Ich nicht, ich bin Großmutter«, log ich kaltblütig, »ich habe hier eine Freundin, der ich es für ihr Enkelkind schenken möchte.«

Auch das war gelogen. Es war für die junge Mutter bestimmt, deren Mann im Gefängnis sitzt und um den du dich kümmerst, wie du dich ja um so viele kümmerst – ununterbrochen.

In unserem Alter Abschied von einem Land zu nehmen, das einem ans Herz gewachsen ist, kann natürlich immer bedeuten, daß es das letzte Mal war – daß es einem, wie du es ausdrückst, abgenommen wird.

Seitdem ich achtzig bin, läßt mich dieser Gedanke nicht mehr los; achtzig ist nicht nur gefühlsmäßig etwas anderes als neunundsiebzig, sondern auch wirklich. Es ist eine neue und ganz besondere Lebensphase, in der vielleicht *alles* »zum letztenmal« ist: das letzte Mal, daß ich meine Freundin besuche, daß ich Weihnachten feiere, daß ich ein festliches Zusammensein erlebe oder in Südfrankreich an einem goldenen Rapsfeld vorbeifahre. Voriges Jahr, da ich gerade diese Südfrankreichfahrt noch wunschlos glücklich genoß, kam es mir in den Sinn, daß Jungsein angefüllt ist mit Spannung, Abenteuer und dem Unerwarteten, während einen das Bewußtsein des Alters unendlich dankbar macht für alles, was einem noch zuteil wird.

Es ist die gleiche Dankbarkeit, wie auch du sie für diesen unirdisch schönen Frühling verspürst – für das Grün, das Wachsen und die Düfte.

Ob es mehr Menschen unserer Generation gibt, die, wenn sie etwas besonders intensiv erleben, das Gefühl haben, es könnte das letzte Mal sein –?

Einmal – es war an einem strahlend schönen Morgen, und ich stand in meinem blühenden Garten, eingesponnen in das Jubilieren der Vögel und das Sonnenlicht um mich her – kam ein Auto angefahren, dem mit einiger Mühe zwei Bekannte entstiegen: eine Siebenundachtzigjährige mit ihrer fünfundsiebzigjährigen Begleiterin. »Was für ein Paradies!« riefen sie entzückt.

»Oh, ich bin selber ganz begeistert«, sagte ich, »ich stehe hier und genieße es, als wär's mein letzter Frühling auf diesem herrlichen Fleckchen Erde… Und vielleicht ist das auch so –«

»Ach, sei doch nicht so pessimistisch! Du bist doch noch sooo rüstig«, lachten sie.

»Ja, aber es ist mein Ernst. Und sollte es wirklich das letzte Mal sein – nun: Das Leben danach wird unvorstellbar schön sein…«

Sie schienen ein wenig betroffen. »Glaubst du denn daran?«

»Ja, ganz fest: Ein neuer Himmel und eine neue Erde – so ist es uns verheißen worden.«

»Ach was«, sagte die eine, »ich bin davon überzeugt, daß mit dem Tod alles zu Ende ist.« Die andere erging sich ein bißchen über Wiedergeburt – ein Thema, das zur Zeit ja »in« ist.

Aber solche Diskussionen enden fast immer mit Fragezeichen. *Wissen*, was nach unserem Ende mit uns geschieht, kann niemand. Aber gerade das Nichtwissen läßt uns die Möglichkeit zu glauben. Und ich *glaube*. Ich übergebe mich vertrauensvoll dem absoluten Neubeginn – nicht anders als ein Kind, wenn es sich aus dem Mutterschoß löst und das Licht der Welt erblickt: wenn es die Geräusche um sich her plötzlich anders wahrnimmt und die Schwerkraft spürt.

Der französische Philosoph, Gynäkologe und Priester Marc Oraison beschreibt es in seinem Büchlein ›La mort et puis après‹ (Der Tod – und was dann?) so, daß wir »leben im Schoße der Zeit«. Ich finde das großartig – durchaus realistisch und dennoch in kosmischen Weiten gedacht.

Eigentlich sehe ich hierin sogar die Erklärung für deinen Hilferuf. Wir leben völlig eingespannt in die Zwänge der Zeit und wagen uns nicht zu »entspannen« – uns vom Zeitlichen auf die Ewigkeit hin zu lösen, die uns doch versprochen ist.

Übrigens: An diesem gespannten Leben in den »Zwängen der Zeit« sind wir beide selbst schuld. Wir haben immer noch so viel um die Ohren – immer viel zuviel »Heu auf der Gabel« –, nehmen dabei aber keine Rücksicht auf unsere langsamer werdenden Reaktionen (zum Beispiel: immer etwas suchen zu müssen, was wir verlegt haben) und verzichten törichterweise darauf, auch einmal »nein!« zu sagen; ein Recht wahrzunehmen, das uns das Altsein zugesteht.

Ann

Liebe Ann,

eigentlich ist es sowohl das eine wie das andere: spannen und entspannen; *ohne* Spannung gibt es auch kein Ent-spannen.

Ich war kürzlich dabei, als so ein alter Knabe in die Pflichten eingeweiht wurde, die er gegenüber seinem Alter hat. Ganz verzweifelt rief er aus: »Ja – darf ich mich jetzt immer noch nicht entspannen?« Doch, natürlich darf er es; er *muß* sogar »relaxen«, aber er darf nicht aufhören, sich geistig und körperlich zu fordern. Selbst die Ärzte, die früher so fix mit Bettruhe bei der Hand waren, sind inzwischen dahintergekommen, wie selbstzerstörerisch und demoralisierend es wirkt, sich einfach gehenzulassen. Früher blieb eine Wöchnerin eine ganze Woche oder länger im Bett, mit dem Erfolg, daß – wenn sie endlich aufstehen durfte – sie nicht mehr auf den Beinen stehen konnte. Frischoperierte wurden gar wochenlang zum Liegen verurteilt und brauchten hinterher fast ebenso viel Zeit, um ihre Funktionen wieder in Gang zu bringen. Als ich nach meiner Augenoperation schon wieder mopsfidel herumlief, stellte sich plötzlich heraus, daß sich in meinen Augen Feuchtigkeit sammelte; ich mußte zehn Tage lang so unbeweglich und flach wie möglich liegenbleiben und wurde gefüttert wie ein Baby. Das einzige Zugeständnis bestand darin, daß ich meine Zähne putzen durfte, aber ganz, ganz vorsichtig. Als ich endlich – zum Zwecke einer neuerlichen Behandlung – wieder sitzenlernen mußte, saß ich in meinem Sessel wie ein im Winde schwankendes Rohr. Ich hatte nie vorher gewußt, daß Sitzen eine so mühsame Sache sein kann. Natürlich habe ich es als Baby auch lernen müssen, aber daran habe ich keine Erinnerung.

Mit zunehmendem Alter wächst das Bedürfnis, zu sitzen, zu liegen oder zu schlafen (sofern man keine Probleme mit dem Einschlafen hat). Eine meiner Freundinnen liest die Auswirkungen ihres »Relaxens« an ihrer Gewichtstabelle ab: Die Zahlen werden immer gehaltvoller. Erste Folge: Es fällt ihr immer schwerer, sich zu bewegen. Zweite Folge: Sie bewegt sich immer weniger. Jetzt hat sie sich sogar angewöhnt, wenn sie irgendwo zu Gast ist und sich eigentlich erheben müßte, um einen Neuankömmling zu begrüßen, einfach zu sagen: »Ich darf doch sitzenbleiben, nicht wahr?«

Natürlich wäre niemand herzlos genug zu erwidern: »Nein – erheben Sie sich gefälligst.«

Und doch sollte man es eigentlich tun – ihr zuliebe. Es ist ja ein Teufelskreis: Weil man sich nicht bewegt, wird man dick, und weil einen die Fettleibigkeit unbeweglich macht, rührt man sich nicht mehr von der Stelle. Natürlich ist es nur ein rein körperlicher Vorgang, aber geistig vollzieht es sich genau so: Je weniger Bewegung, um so nachhaltiger die Erstarrung.

Als junge Frau schrieb ich einmal in mein Tagebuch: *Ich glaube an die Mühseligkeit des Lebens.*

Hört sich das komisch an – vielleicht sogar streng? *Nota bene* aus dem Mund eines Menschen, der überzeugt ist von der Notwendigkeit und Heilkraft der Entspannung –?

Vielleicht fallen dir die richtigen Worte ein, mich von diesem ermüdenden Glauben zu heilen. Wenn ich auf mein Leben zurückschaue, scheint es mir, als habe ich zwar immer versucht, eine andere Lösung zu finden – eine Art Rechtfertigung, mich vor dieser Mühsal zu drücken – als sei es mir schließlich aber doch nicht geglückt. Insgesamt also viel Mühsal und viel Mißglücktes. Vielleicht habe ich immer zu hoch gegriffen – und tue es noch.

Oh – warte eben: Die Chance, über Wiedergeburt nachzudenken, kann ich mir nicht entgehen lassen. Fast wäre ich versucht zu sagen, es sei eine ganz praktische Lösung, mit der eine Menge Ungerechtigkeiten, die man in diesem Leben einfach hinnehmen muß, ausgeglichen werden könnten.

Aber irgendwie scheint es mir auch wieder ein bißchen zu simpel. Und im übrigen ist es just die Einfachheit, vor der diejenigen, die sich in die Materie vertieft haben und allen Ernstes daran glauben, zurückschrecken: Wieder Kind sein und alles wieder lernen zu müssen – um seine Selbständigkeit kämpfen zu sollen…

Ich weiß eigentlich nicht, woran ich glaube. Manchmal denke ich: »Nun – es könnte sein … Vielleicht gibt es *wirklich* ein Weiterleben nach dem Tod!«

Niemand kann es beweisen. Aber der Beweis für das Gegenteil (und das sollten all die kaltschnäuzigen Materialisten nicht vergessen!) steht auch noch aus.

Es gibt ja Kreise, in denen »glauben« als untrügliches Zeichen für Naivität gilt. Zaghaft eingebrachte Diskussionen über ungreifbare Dinge werden ausgesprochen feindselig abgeblockt. Mangelnde Toleranz – die man *uns* anlastet (gelegentlich scheine ich mich eben *doch* mit den Gläubigen zu identifizieren) – zeigt sich hier in originärster Form; gleichzeitig (und folgerichtig, wie ich meine) offenbart es sich dabei, daß sie nichts – aber auch gar nichts von den Entwicklungen wissen, die sich im Glaubensleben abspielen. Sie attackieren den kindischsten Aberglauben (dessen sich der einfachste Gläubige unserer Zeit schämen würde) mit einem Fanatismus, als handele es sich dabei um »den« Glauben.

Ich bin übrigens der Meinung, daß man nicht versuchen sollte, den Glauben als Folklore darzustellen. Es gibt viel Unakzeptables in dieser

Richtung, und ich ärgere mich ganz besonders über Leute, die auf dem Bildschirm den Eindruck erwecken wollen, als verkehrten sie Tag für Tag persönlich mit dem »lieben Gott«. Gerade dann, wenn es auch die Ohren Andersdenkender erreicht, sollte man mit solchen Dingen sehr behutsam umgehen; ich wünschte, ich könnte die Atheisten heilen von ihrer Auffassung, Gläubige seien – gefährlich oder nicht – allesamt Verrückte.

Glaube ich also? Ich weiß es nicht; ich weiß nur, daß ich mit fortschreitendem Alter immer vorsichtiger mit diesem Begriff umgehe. Gelegentlich denke ich mit Verwunderung an die Frau zurück, die ich früher einmal war. Lieber Himmel, was *die* alles *wußte*. Und was war es eigentlich, das all ihre felsenfesten Überzeugungen zum Einsturz gebracht hat?

Wie auch immer. Mein Bedürfnis nach Sicherheit ist auf *diesem* Gebiet nicht besonders groß. Meine Erwartung geht dahin, daß ich's irgendwie schon erfahren werde.

Heleen

So ist es, meine Taube –

»es« wird sich offenbaren, sobald wir den großen Schritt getan haben. Glauben, nicht glauben oder auf welche Art zu glauben – das ist ein sehr empfindsames Kapitel. Du machst dir *deine* Gedanken – ich mir die meinen; jeder muß es für sich selbst entscheiden.

Ja, und dann das Entspannen. Daß es unendlich schwierig ist, sich in dieser viel zu lauten, unaufhaltsam weiterhastenden Welt, im Strudel der von allen Seiten auf uns einstürzenden Informationen zu entspannen – vor allem für uns, die wir das Leben in einer ungleich geruhsameren Welt begonnen haben: Wem sagst du das! Noch mühsamer aber wird es, wenn man sich fortwährend für andere einsetzt. Sobald man pensioniert ist oder in einer – wie auch immer gearteten – Lebensphase ohne feste tägliche Verpflichtungen steht, möchte jedermann einen mit Beschlag belegen. Man wird zum Anziehungspunkt für viel junges Volk. Wirklich: Ich habe jung und alt um mich her, obwohl meine Erfahrungen eigentlich darauf hinauslaufen, daß es vorzugsweise »gleich und gleich« ist, was sich gern gesellt: jung und jung – alt und alt. Wenn alte Leute nicht mehr mit ihren Problemen fertig werden, wenden sie sich gern an Altersgenossen, die – dem Anschein nach – noch alles meistern. Und dieses Kapitel möchte ich noch ein wenig vertiefen:

Von den mehr als 1,7 Millionen Menschen oberhalb der Rentengrenze befindet sich nur jeder zwölfte in einem Alten- oder Pflegeheim; der Rest wohnt, arbeitet und bewegt sich ganz normal inmitten der Allgemeinheit. In der Volksmeinung gibt es das total verzerrte Bild von (hilflosen) Alten, die alle auf unsere Fürsorge angewiesen wären. Und dabei besteht heute sogar schon in Pflegeheimen die Tendenz, in gewissem Umfang auf Selbsthilfe umzustellen, so daß die Bewohnerinnen (es sind ja hauptsächlich die Frauen, die länger leben) einen Teil der Pflichten im normalen Tagesablauf zu übernehmen hätten. Auch von den über Achtzigjährigen leben noch viele Frauen in den eigenen vier Wänden, wo sie allerdings hin und wieder auf fremde Hilfe angewiesen sind: auf jemanden, der mit ihnen spazierengeht, der ihnen vorliest, Einkäufe für sie macht, geduldig ihren Klagen lauscht oder Probleme mit ihnen bespricht – zum Beispiel was sie tun sollten, wenn sie allein nicht mehr fertig würden. Ich hatte zeitweise drei alte Damen in dieser Art zu betreuen, und zusammen mit meiner anderen Arbeit (etwa dieses Buch zu schreiben) wurde es dann doch ein bißchen zuviel.

Weißt du übrigens, daß diese freiwilligen Hilfsdienste hauptsächlich von Frauen im Rentenalter durchgeführt werden? Und ich kann gut verstehen, daß man als Fünfundachtzigjährige lieber mit einer verständigen älteren Frau spazierengeht als mit einer Fünfundzwanzigjährigen; es ist einfach die vertraute Generation – man muß nicht so viel erklären (oder gar entschuldigen).

Jetzt bin ich aber wirklich sehr weit abgeschweift von deinem Ausbruch der Verzweiflung über das Unvermögen, als Siebzigjährige mit einem überquellenden Pflichtsoll das Gleichgewicht zu halten zwischen zwei Möglichkeiten: steter Unrast und »wer rastet – der rostet«. Ich fürchte, daß sehr viele tätige Menschen unserer Generation sich täglich mit diesem Problem herumschlagen.

Ich bin nicht der Meinung, daß – wenn man nach einem arbeitsreichen Leben plötzlich Rentner wird – man nur noch »seine Ruhe genießen« möchte oder sollte. Das würde einen doch erst richtig ruhelos machen – es sei denn, man wäre ein totaler Ich-Mensch. Ich kenne eine Frau, die – seitdem sie nicht mehr arbeiten muß – jeden Tag stundenlang spazierengeht, mit dem Fahrrad unterwegs ist, vor dem Bildschirm sitzt, Freundinnen besucht, strickt oder liest. Weil sie irgendwie aber Gewissensbisse verspürte, ging sie zu einem Berater. Er beruhigte sie und erklärte ihr, daß sie nach einem angespannten Arbeitsleben jetzt das Recht habe, ihr Dasein selbst zu gestalten. Aber was eigentlich *ist* das persönliche Recht? Nun –

vielleicht so etwas wie die Suche nach dem Sinn unseres Lebens innerhalb der eigenen Möglichkeiten – in welchem Alter auch immer und in einer Welt, in der es so vielen Menschen schlechter geht als einem selbst.

Ich führe ein Tagebuch, in dem ich nur Begebenheiten oder Dinge vermerke, die mich betroffen machen. Voriges Jahr schrieb ich hinein, was Martin Luther King einmal gesagt hat: »Wenn gute Menschen nicht *mehr* tun, als ihre Kinder zu versorgen, Freunde zu besuchen, vor dem Bildschirm zu sitzen oder Sport zu treiben, dann können böse Mächte sich ungestört entfalten – und nichts wird sie daran hindern.«

Zum Schluß aber ein perfektes Rezept zum Entspannen (das war's doch, was du hören wolltest –?): Schwimmen. Am besten in einem therapeutisch beheizten Bad mit möglichst wenig Chlor. Schwimmen holt einen gewissermaßen aus einem selbst heraus – das Wasser trägt einen, man fühlt sich schwerelos, man kann sich herrlich wunsch- und willenlos treiben lassen. Ich tue es jede Woche einmal.

Mein Hausarzt empfiehlt alten Menschen das Schwimmen als *das* Vorbeugungsmittel gegen die typischen Altersbeschwerden. Also: Ab ins Wasser!

Deine Anne

Nein, liebe Anne –

wir verstehen uns zwar sonst ausgezeichnet, aber diesmal sind wir einfach aneinander vorbeigelaufen. Ich wollte keinen Rat zum Kapitel »Ausspannen« – *das* habe ich seinerzeit, als Bob sich mit seinem unheilbar hohen Blutdruck in die Behandlung eines Psychiaters begeben mußte, gründlichst gelernt. Wir verlegten uns auf sogenanntes autogenes Training. Es war zunächst nicht einfach, aber als wir es einmal begriffen hatten, empfahlen wir es jedem, der es hören oder auch nicht hören wollte, als die totale Entspannung. Ich bin erstaunt, daß du unserem Missionierungseifer entwischen konntest!

Diesmal ging es mir um etwas anderes: Ich wollte von dir wissen, ob es gegen den beschwerlichen Glauben, man müsse bis ans Ende seiner Tage unter Spannung stehen, kein Heilmittel gebe. Und eigentlich war mir auch von vornherein klar, daß *du* mir *nicht* würdest raten können; du gehörst ja selbst zu denen, die ständig in Bewegung sind! Manchmal denke ich so lieblose Dinge wie »So – nun macht euren Mist gefälligst allein!« oder »Liebe Welt, nun versuch's mal ohne meine heilsame Hilfe –«, aber im nächsten Moment beschäftige ich mich schon wieder mit einer Idee, einem Artikel oder einem Brief für irgendwen, der todsicher nicht weiterwüßte, *ohne* daß ich ihm ein paar nachdrückliche Vorhaltungen gemacht hätte. Es macht nichts, daß meine Bemühungen ins Leere gehen; wenn ich den unvermeidlichen Anflug von Enttäuschung überwunden habe, weiß ich doch, daß meine Aufgabe noch nicht beendet ist. Und manchmal sagt auch tatsächlich jemand, daß ich recht habe und daß er sich meinen Rat zu Herzen nehme. Kaum habe ich solches vernommen, strebe ich beflügelt weiter auf meinem »segenbringenden« Weg.

Manchmal weiß ich selber nicht, was mich dazu treibt; habe ich besonderen Bedarf an »action«? Oder ist es vielleicht doch die Überzeugung, daß meine Erfahrungen irgendwem nützen könnten? Ist es Eitelkeit? Die angeborenen Fehler verlieren sich ja leider nicht mit zunehmendem Alter – im Gegenteil: Manchmal nehmen sie erschreckende Ausmaße an. Als ich vor langer, langer Zeit – ich war zwanzig – zum ersten Mal Gogol las, strich ich mit Bleistift einen Abschnitt an:

»Der feurige Jüngling von heute würde entsetzt zurückweichen – könnte man ihm sein Bildnis als alter Mann zeigen...«

Nicht unbedingt ein Beweis von Nachsichtigkeit gegenüber dem Alter. Alte Menschen machten mich damals nörgelig und kribbelig – nicht einmal so sehr wegen ihrer dauernden guten Ratschläge und Erfahrungsvermittlungen, sondern wegen ihrer Neigung, meine Begeisterung einzudämmen. Vielleicht ist die Erinnerung daran ganz heilsam – jetzt, wo ich selber »alt und weise« zu sein glaube…

Aber du wolltest eigentlich über Lebensregeln sprechen, und das ist eine gute Idee. Ärzte vergessen nur zu oft, uns »aufzuklären«. Ich befinde mich zwar in der Obhut tüchtiger Fachärzte, aber sie verlassen sich zu sehr darauf, daß ein einigermaßen vernünftiger Mensch selber wüßte, was er zu tun hätte. Sie eilen herbei, wenn's nottut – es ist noch gar nicht so lange her, daß sie mir zum wiederholten Mal das Leben gerettet haben –, aber niemand hat je zu mir gesagt: »Altern ist ein Austrocknungsprozeß.« Vielleicht ist das nicht besonders wissenschaftlich ausgedrückt – es geht hauptsächlich darum, daß man sehr viel trinken muß, sogar mehr, als man eigentlich möchte! Außerdem darf man nicht vergessen, seine geduldige alte Schildkrötenhaut laufend mit Fett zu versorgen. Ganz wichtig ist auch die Kalkzufuhr (Milch trinken!). Man könnte zwar annehmen, mit seiner Arterienverkalkung besäße man bereits genug von dem Zeug, aber dem ist keineswegs so. Durch die altersbedingte Entkalkung der Knochen entsteht Kalkmangel. Weiter: Jeden Tag an die frische Luft, auch wenn kein zwingender Grund vorliegt. »Eine Stunde lang spazierengehen«, sagte der Arzt, als ich ihn frage, wie ich mich zu verhalten habe. Aber die

Wege um unseren Ort herum sind unaussprechlich öde und im Winter eiskalt; einmal, als ich es bei Sturm und zwölf Grad minus pflichtbewußt praktizierte, torkelte ich nach einer halben Stunde völlig benommen in den Hausflur. Womit ich nur sagen möchte: Es ist nicht immer leicht, heilsame Lehren zu befolgen.

Schwimmen ist herrlich, aber leider liegt das Schwimmbad so weit entfernt, daß es mich – alles in allem – jedesmal einen Vor- oder Nachmittag kostet. Na – und? Kann man sich die Zeit denn nicht mal gönnen? Doch, man kann; aber ich lebe langsamer als früher, und ab und zu muß ich einfach zu Hause sitzen und mich dem Nichtstun überlassen dürfen – sonst stehe ich es nicht durch.

Zur Zeit ist meine Familie, in die ich Zeit investiere, an der See; ich brauche also nicht dauernd auf dem Sprung zu stehen, mal eben aufzupassen, jemanden »aufzufangen« oder was auch immer; was mich im übrigen natürlich beweglich hält und geräuschunempfindlich macht – die dreijährigen Zwillinge und das sechsjährige Brüderchen produzieren einen beachtlichen Dezibelpegel, und bei der üblichen Erstürmung meines (viel zu kleinen) Appartements bleibt die Ordnung, die ohnehin nicht zu meinen größten Talenten zählt, hoffnungslos auf der Strecke. Aber es bereitet mir herzerwärmende Freude, sie miteinander spielen zu sehen.

Übrigens, im Altenzentrum steht seit kurzem eine neuartige Schreibmaschine mit allerlei technischem Schnickschnack.

Ich werde schon nervös vom bloßen Hinschauen!

Deine durch die Technik verwirrte Taube

Eigentlich, liebe Taube,

beschreibst du dein Allheilmittel ja schon selbst: Einfach dazusitzen und (vorübergehend) jeglichem Muß enthoben zu sein. Und genau das ist es. Für mich nenne ich es »Wiederkäuen« – alles, was ich getan, gehört, gesehen, besprochen, erlebt und gelesen habe. Die Eindrücke gehen ja nicht mehr so tief – sie werden schemenhafter, verflüchtigen sich rascher; und so ist es gut, sich im nachhinein noch einmal zu sammeln, um das, was allzu flüchtig an einem vorbeiging, festzuhalten.

Dein Bungalow scheint mir wunderbar für solche Art des Meditierens geeignet zu sein – mit all den ebenerdig und in greifbarer Nähe angebrachten Notwendigkeiten und dem unverstellten Blick in das köstlich durchscheinende Grün deines Gartens. Angemessen zu wohnen, das wird um so wichtiger, je mehr einem die Zeit aus den Händen gleitet; ich werde mir dessen immer mehr bewußt. Das Bedürfnis zu reisen wird geringer – man bleibt lieber gemütlich daheim. In meinem Häuschen fühle ich mich wie eine Muschel, die ihre Schale um sich her hat wachsen lassen. Und je klarer mir wird, daß meine Jahre gezählt sind, um so inniger genieße ich jeden Tag oder auch nur die Stunde, die ich in meinem »Gartenhaus« verbringen darf.

Was erwartet einen, wenn man ins einundachtzigste geht? Sonderbar: Man weiß alles, was mit einem geschehen ist – aber von dem, was *sein* wird, weiß man nichts. Ich hoffe natürlich, hierbleiben zu können bis – ja, bis … Nun ja, bis ich es nicht mehr allein schaffe; bis ich mein kleines eigenes Hauswesen nicht mehr bewältigen kann. Vielleicht könnte man es mit fremder Hilfe auch dann noch eine Weile aushalten, aber das würde auch heißen, daß man sich mit dem Schrumpfen seiner Möglichkeiten abfinden und seine Forderungen zurückschrauben müßte. Ich beobachte das bei den Neunzigjährigen in der Nachbarschaft, für die ich Besorgungen gemacht habe und noch mache. Es gemahnt mich übrigens daran, stets einen kleinen Vorrat an Lebensnotwendigem bereitzuhalten. Es steht ja hinter allem ein Fragezeichen.

Ein Platz im Altenheim als letzte Station: entsetzlicher Gedanke! Nur Altes, Verlöschendes um mich her – keine Kinder, die hereingestürmt kommen … Ich brauche Kinder! Sie stecken voller Überraschungen, voller Geistesblitze – das weißt ja du, als Oma von Zwillingsknirpsen in deiner unmittelbaren Nachbarschaft, am besten. Kinder wissen noch nichts vom Ballast des Lebens!

Man hört zur Zeit immer häufiger von alternativen Wohnmodellen wie zum Beispiel den Wohngemeinschaften für Senioren. Es gibt bereits das Unternehmen »Ländlicher Verein für Senioren-Gruppenwohnungen«. Etwa sechs solcher Gemeinschaften haben ihre Form schon gefunden und sich im ganzen Land, zwischen Groningen und Rosmalen, niedergelassen. Das Ziel ist, daß sich jeweils zwölf bis fünfzehn Ehepaare oder Alleinstehende – selbstverständlich nach ernsthafter gegenseitiger Prüfung – entschließen, miteinander zu leben: jede Partei im separaten Mietshäuschen, insgesamt aber als Gemeinschaft; Privatsphäre also, doch verbunden mit der Verantwortlichkeit füreinander. Es gibt die Möglichkeit gemeinsamer Mahlzeiten – dann aber gleichzeitig auch die Pflicht gemeinsamer Zubereitung und der gemeinsamen Sorge für den Garten; außerdem gibt es gemeinschaftliche Unternehmungen verschiedenster Art, und bei Krankheiten hilft man sich im Rahmen des Möglichen gegenseitig. Die Gestaltung der jeweiligen Gruppen sowie das Was und Wie bestimmen die Bewohner selbst; es gibt keinen Direktor und keinerlei »betuliches Umsorgen von jungen Naseweisen«, wie ich einen ernsthaften jungen Sprecher einmal vor einem Saal voll altgewordenen Individualisten sagen hörte.

Zufällig hatte ich kürzlich mal Kontakt mit dem Gründer einer solchen Wohngruppe in Hoorn, einem älteren Herrn. Diese Gemeinschaft besteht aus mehr als achtzig Wohnungen – eine außergewöhnlich große Ansiedlung also –, und das Gründungsmitglied, Mitbewohner seit zehn Monaten, war voller Enthusiasmus, auch wenn es anfangs – wie er einräumte – erhebliche Turbulenzen gab. Es sei Geben und Nehmen, sagte er, und das kann auch nicht anders sein.

Für den ordnungsgemäßen Ablauf des täglichen Lebens gibt es einen von den Bewohnern gewählten Vorstand. Und angesichts der Tatsache, daß man heutzutage auch mit fünfzig schon zum alten Eisen zählt, gibt es auch jüngere Mitbewohner.

Eine solche Wohngruppe, innerhalb derer man sich gegenseitig inspiriert und aktiviert und wo man das Interesse an seiner Umwelt behält – das wäre etwas für mich. Allerdings muß man sich rechtzeitig um einen Platz bemühen, denn von heute auf morgen klappt es *nicht.* Ich bleibe am Ball!

Es gibt übrigens auch sogenannte Kommunen. Ich habe einen Zeitungsartikel von 1982 aufgehoben, in dem die Rede ist von einer Kommune für Rentner, die grundsätzlich alles gemeinsam machen. Keine bezahlten Kräfte – ein ganz normaler Haushalt im großen, mit Telefon, Wäsche, Bügeln, Küche und Garten, geleitet von zehn älteren Männern und Frauen (mehr Frauen natürlich), die den erforderlichen Gemeinschaftssinn haben müssen. Inzwischen haben wir ja gelernt, daß es zwar relativ einfach ist, etwas ins Leben zu rufen, daß es aber ungleich schwieriger ist, es auch am Leben zu erhalten.

Die Idee zu solchen Kommunen scheint aus

Deutschland zu kommen, aus Bad Segeberg. Irgendwo habe ich gelesen, daß man auch im Nordbrabantischen Herpen eine solche Einrichtung gestartet hat, und zwar in einem leerstehenden Pfarrhaus mit großem Garten und (hurra!) einem Kindergarten ganz in der Nähe. Leider ist das Projekt wieder eingeschlafen – es hatte keinen Zulauf.

Neulich erzählte mir jemand von einem vegetarischen Altenheim in Oosterbeek bei Arnhem – mitten im Wald gelegen, mit eigenem biologisch-dynamischem Gemüsegarten. Leider darf man innerhalb des Hauses nicht rauchen (nichts für nette alte Herren mit Zigarre also), aber es muß eine wahre Freude für solche Idealisten sein, die gegen die Agrarfabriken zu Felde ziehen. Und mit denen fühlen wir uns ja verwandt.

Anne

p. s.: Du schreibst von der Notwendigkeit, viel zu trinken: Eine Frauenärztin, die großartig detaillierte Ratschläge gibt, verriet mir einmal, daß es für alte Leute ganz normal sei, während der Nacht Durst zu bekommen. Es hat mich sehr erleichtert, denn wenn ich mitten in der Nacht wach werde, trinke ich gierig ein paar Schlucke Wasser; ich hatte heimlich schon die Befürchtung, es stünde irgendein Leiden dahinter.

Liebe Anne,

weißt du, was komisch ist –? Wenn ich etwas von Kommunen und neuartigen Wohnformen höre, bin ich zunächst ganz begeistert, aber wenn ich mir vorstelle, ich sollte selbst darin wohnen, verkrampfe ich mich regelrecht. Ich glaube, unsere Generation ist einfach zu individualistisch aufgewachsen, als daß sie sich jetzt, da sie alt und älter wird, einfach umstellen könnte. Gemeinschaftlich zu leben ist eine Kunst – eine geistige Einstellung. Und wenn man sein Leben immer nach eigenen Vorstellungen gestaltet hat, weiß man kaum, was es heißt, sich nach jemandem zu »richten«.

Ich bin wohl mehr der Typ alte Dame, wie ich sie neulich in Paris sah: endlose Variationen von sechzig-, siebzig- und achtzigjährigen, die – mit der Einkaufstasche in der einen und einem Krückstock in der anderen Hand – die Straßen entlangflanieren.

»Die leben bestimmt alle noch privat«, sagte meine Schwiegertochter scharfsinnig; ich glaube, sie hatte recht: Insassen von Heimen oder Stiften gehen nicht zum Markt und holen sich eine Stange Porree oder ein paar Zwiebeln. Sie treffen hin und wieder Bekannte, gehen zum Friedhof und füttern ein paar von den unzähligen streunenden Katzen, oder sie setzen sich, wenn das Wetter schön ist, ein bißchen in die Sonne.

Ist es Armut oder Freiheitsdrang, was sie in ihrem Alter noch für sich allein hausen läßt? Wenn man Simone de Beauvoirs Buch ›Das Alter‹ liest, kommt man zu dem Schluß, daß es den unbemittelten Älteren in Frankreich nicht gerade rosig geht. Irgendwo sagt die Schriftstellerin auch mit aller Schärfe, daß – wenn man arm sei – das Alter zum Problem werde. Hat man Geld, dann läßt sich immer jemand finden, der sich um einen bemüht. Dennoch hatte ich den Eindruck, daß diese ein wenig farblosen alten Weiblein sich *noch* unglücklicher fühlen würden, wenn sie nicht mehr selbst über sich bestimmen könnten.

»Ich mag nicht leben, wo die Hausglocke herrscht«, sagte die alte Mutter meines Vaters, wenn die Rede auf Altenheime kam.

Nun, meine siebenundachtzigjährige Tante hat sich etwas Besseres einfallen lassen. Als ihr Mann starb, wußte sie nur eines: Sie wollte nicht allein sein (unsere Familie besteht nicht aus Helden der Einsamkeit – den meisten von ihnen schaudert es beim Gedanken an ein einsames Haus. Eine andere Tante wohnte in einem mehrstöckigen Haus – einer Art Vorläufer der Eigentumswohnungen, und wenn mein Onkel später als normal nach Hause kam, saß sie wartend auf der Treppe, einfach, weil sie sich dort näher bei den Nachbarn und der Außenwelt fühlte). Jene Tante also besaß ein Haus, und sie lud ihren frischvermählten Enkel ein, das Parterre zu bewohnen; sie selbst zog in die erste Etage. Ein kluger Entschluß, denn inzwischen gibt es im Parterre vier kleine Mädchen, und die Beweise ihres Vorhandenseins kann man besser unter den Füßen als über dem Kopf ertragen. Tantes Privatsphäre bleibt unangetastet, denn die Kinder dürfen sie nur auf Einladung besuchen, und im übrigen arrangiert sie sich mit den Realitäten. Und wenn ihr gelegentlich der Lärm ein bißchen zuviel wird, wiegt sie diesen Nachteil gegen die gefürchtete Einsamkeit auf. Rate, wer gewinnt!

Zu deinen Anmerkungen über alternatives Wohnen sind mir einige Bedenken gekommen. So, wie du es beschreibst, ist für diese Wohnform doch unabdingbare Voraussetzung, fit zu sein. Was wird aus der Gemeinschaft, wenn das Alter plötzlich seinen Tribut fordert und jemand bettlägerig oder pflegebedürftig wird?

H.

p. s.: Ich finde es richtig nett, daß du mir einen Bungalow andichtest; ganz deine Linie! Aber ich möchte mich doch eben im zutreffenden sozialen Kontext beschreiben: Der Bungalow ist ein klitzekleines Appartement (der fehlende Stauraum in meinem großen Wohnzimmer* mit Nebenraum treibt mich gelegentlich zur Verzweiflung!), das sich zufällig im Parterre befindet. Aber der Garten ist Wirklichkeit – ich habe sogar das Gefühl, als gehöre er organisch zu meiner Wohnung.

* Niederländische Wohnräume haben im allgemeinen eingebaute Alkoven anstatt Schränke. Früher wurden sie auch als Bettnischen benutzt.

Liebe Taube –

heute war ich – weiß der Himmel, warum und obwohl ich bis acht Uhr geschlafen hatte – richtig alt. Vielleicht war mein Traum daran schuld: Ich fuhr mutterseelenallein und in rasendem Tempo durch einen einsamen Wald, um irgendwohin zu gelangen; wohin? Das weiß ich nicht. Zu meinem Schutz hielt ich krampfhaft ein Messer und eine Gabel in Kampfposition.

In meinen Träumen bin ich immer unterwegs nach einem unbestimmten Ziel – ich habe alles verloren: meine Tasche oder, wenn ich im Zug sitze, meinen Koffer – ich weiß nicht, in welches Haus ich gehen muß, oder ich habe die Nummer meines Hotelzimmers vergessen.

Futter für Psychologen, vor allem für geriatrisch spezialisierte ... Es hat sicher mit dem Ende des Lebens zu tun: Man rennt darauf zu, denn auch die Zeit läuft immer schneller, und man weiß nicht, wohin sie einen trägt; fest steht nur, daß man alles zurücklassen muß.

Heute also war ein richtiger Un-Tag (um nicht immer Wörter aus dem Englischen wie z. B. »off-day« zu benutzen): Ich fuhr mit meinem Velo*

* Abkz. für »Veloziped« (Fahrrad). Das in den NL gebräuchliche Wort »fiets« ist nicht zu übersetzen.

zum Einkaufen, was für mich immer eine große Anstrengung und *noch* größere Konzentration bedeutet. Bevor ich allerdings startbereit war ... grundgütiger Himmel! Meinen Einkaufszettel hatte ich so schlampig geschrieben, daß ich ihn nicht wiederlesen konnte (was ich zunächst *ohne* Brille versuchte). Also sah ich mich nach meiner Brille um, konnte sie nirgends entdecken, lief von Pontius nach Pilatus und fand dabei einiges, von dessen Existenz ich gar nichts mehr wußte. Meine Brille fand ich erst ganz zuletzt und nur durch Zufall, als ich erschöpft einen Schluck Milch trinken wollte: Sie lag im Kühlschrank. (Ich weiß beileibe nicht, womit ich sie verwechselt habe.) – Draußen stellte ich fest, daß ich verkehrte Schuhe anhatte; zurück also, den Hausschlüssel herauskramen ... Jedenfalls war ich schon kilometerweit sinnlos hin- und hergerannt, bevor mein Tag überhaupt begonnen hatte.

Wenn man so unkonzentriert an die Arbeit geht, wird man böse auf sich selbst und macht dadurch alles nur noch schlimmer. Man räumt planlos herum, mechanisch, ohne Sinn und Verstand; man müßte sich selbst einen kräftigen Schubs geben können. Ich unterhielt mich mit einer Gleichaltrigen über dieses Problem, und sie gestand mir, daß sie es in ähnlichen Situationen tatsächlich tue: Sie gibt sich einen ordentlichen Knuff.

Aber zurück zum Un-Tag. An einer verkehrsarmen Kreuzung hörte ich hinter mir ein Ungetüm von Fahrzeug ankommen und beschloß – um nicht mit Fahrrad und allem einfach zerquetscht zu werden – abzuspringen und mich nicht von der Stelle zu rühren. Gottlob hatte ich kein Tempo drauf, denn auf Kreuzungen bin ich sehr ängstlich – aber wie auch immer: Stehenzubleiben ist dumm und gefährlich und außerdem gegen alle Verkehrsregeln. Der Fahrer war bestimmt wütend auf mich: Wieder so ein blödes altes Weib!

Übrigens: An meiner Lenkstange hängt seit vielen Jahren ein Talismann aus Plastik – eine Ikonenminiatur mit Engel. Er gibt mir ein Gefühl des Beschütztseins. Ich habe auch mal ein kleines Gedicht über meine chaotische Radfahrerei gemacht; wenn ich es wiederfinde, werde ich es unter diesen Brief schreiben. Ich glaube nicht, daß ich es dir schon gezeigt habe.

Doch abermals zurück zum Un-Tag: Ich war unterwegs zu einem kleinen Hilfspostamt, wo ich Geld abheben wollte. Glücklicherweise handelt es sich bei dem Beamten um einen freundlichen jungen Mann. Ich setzte gehetzt – weil ich eigentlich wieder meine Brille hätte heraussuchen müssen – den Geldbetrag an einer falschen Stelle ein, und als ich das Formular durch den Schalter schob, hatte ich auch noch zu unterschreiben vergessen.

Das Geschäft, in dem ich Sonnenblumenkerne für die Meisen kaufen wollte, schien sich in Luft aufgelöst zu haben; ich hatte in Gedanken die falsche Straßeneinfahrt erwischt. Und als ich schließlich in einem Bettenfachgeschäft bei einem netten alten Herrn ein Unterbett für hfl* 16,50 kaufte und in ordentlicher Reihenfolge einen Zehnguldenschein sowie alle erforderlichen Gulden und Quartjes genau abgezählt hinlegte, steckte ich den Zehner wieder ein.

»Den möchte *ich* gern haben«, lächelte der Herr; er hatte wunderbar gepflegtes, schlohweißes Haar. Während wir die Betteinlage gemeinsam aussuchten (an den meisten anderen war etwas auszusetzen), hatten wir uns – zwei nette alte Leutchen unter sich – darauf verständigt, daß früher alles viel, viel besser gewesen sei.

Er vertraute mir an, daß er bereits seit mehr als fünfzig Jahren im Bettenfach tätig sei und einfach nicht aufhören könne. Es gehe mir genauso, sprudelte ich eifrig los, auch ich sei immer noch tätig; und wie ein Kind, das voller Stolz verkündet: »Ich bin schon fünf Jahre!«, konnte ich es mir nicht versagen, »... ich bin schon achtzig!« hinzuzufügen.

»Aber liebe gnädige Frau – können Sie das Paket denn überhaupt mitnehmen ... Ist es nicht zu

* hfl = »Hollandse florjin«, alte Bezeichnung für Gulden

schwer fürs Fahrrad? Sollten wir es Ihnen nicht lieber zustellen –?«

Eigenartig. Ein solches Gespräch von alt zu alt vermag sogar an einem Un-Tag die Dinge wieder zurechtzurücken.

Deine durchgedrehte Ann

p. s.: Jetzt weiß ich auch, wieso meine Brille im Kühlschrank lag: Ich fand soeben in meiner Schreibtischlade einen Kegel grünen Kräuterkäse (in Silberpapier); er muß kühl lagern.

Ann

p. s.: Nachstehend das Gedicht!

Mir ist so bang –
mit all dem ratternden,
dem rasenden und stinkenden
Geschepper um mich her…

Jetzt:
Linksabbieger – los, du auch!
Ich wag' es nicht.
Ich bleibe stehen wie gelähmt,
derweil mich Unverständnis
lärmend überholt.

Wer bin ich auch –
nicht mal ein Schulkind,
dem man Nachsicht schuldig wär'!
Ein dummes altes Weib
mit Fahrrad bin ich.
Hinderlich.

Liebe Ann,

ich sehe dich leibhaftig vor mir: Auf dem Fahrrad – Messer und Gabel gezückt. Was tun uns
manche Träume doch an! Ich habe einmal geträumt, ich müsse im Hemd zu einer Promotion
gehen. Sehr bedeutungsvoll: Inmitten von Leuten,
die die Chance hatten, ein Studium zu absolvieren,
fühle ich mich immer benachteiligt. Es hilft mir
auch nichts, mich darauf zu besinnen, daß ich eine
ganze Reihe dummer Menschen mit Diplom oder
Graduierung aufzählen kann.

Hattest du einen Un-Tag, so war's bei mir eine
Un-Nacht. Eigentlich war es meine eigene Schuld,
denn warum muß ich meine Sorgen auch immer
kurz vorm Einschlafen Revue passieren lassen! Es
bringt mich gegen mich selber auf – »Denk an
andere Dinge!« befehle ich mir, aber ich werde
unaufhaltsam in einen magischen Kreis gezogen,
aus dem ich mich nicht befreien kann. In meinem
Kopf rotieren alle die Dinge, die verlorengegangen
sind oder im Begriff stehen, verlorenzugehen – die
wachsende Unfähigkeit, das Leben, das einem
unter den Händen zerrinnt … Und dann die
Einsamkeit.

Du schriebst neulich so forsch, dies sei kein
Thema für mich; aber da kann ich dir leider nicht
zustimmen. Das Schrumpfen der Familie bedeutet

im wesentlichen doch wachsende Einsamkeit für die Zurückbleibenden.

Vielleicht gibt es Familien, bei denen mehrere Generationen zusammenbleiben – unter einem Dach leben. Dies ist mir nicht beschieden. Ich weiß, daß meine Kinder mich liebhaben, aber ich würde nicht wollen, daß sie sich verpflichtet fühlten, mir dauernd beizustehen. Wobei ich eine Ausnahme machen will: meine Tochter; sie ist immer so frisch und munter, obwohl sie sich in einer Lebensphase befindet, die ihr sehr viel abverlangt.

Aber was genau fühle ich denn? »Schmerz« wäre ein zu großes Wort. Es tut weh, daß die Gemeinsamkeit der Familie auseinandergebrochen ist.

Ich weiß, daß es auch an mir selbst liegt. Ich bin ein Mensch, der laufend mit etwas befaßt ist, wofür sich seine Familie nicht interessiert. Oft genug bin ich unauffindbar, obzwar ich natürlich versuche, die Unauffindbarkeit – so sehr mich die Ferne und das Reisen auch locken – zu beschränken, indem ich zum Beispiel nie für länger als eine Woche verschwinde.

Ich muß meine Arbeit tun, weil meine finanzielle Lage mich dazu zwingt. Aber sie nimmt viel Zeit in Anspruch – die Anstrengung ist groß, ungleich viel größer als früher. Es sind die Gründe, aus denen ich Beziehungen oder Freundschaften nicht mehr richtig pflegen kann. Ich versuche, den Zusammenhang zwischen Ursache und Wirkung nicht aus dem Auge zu verlieren, aber es belastet mich dennoch. Und all diese Mißlichkeiten mußte ich mir nachts um halb zwei durch den Kopf gehen lassen; ich fühlte, wie der Schlaf sich mehr und mehr verflüchtigte. Und das ist dann die Phase, da der Körper anfängt zu rebellieren. Vor einiger Zeit war es mein Herz, das beängstigende Signale aussandte – jetzt ist es Juckreiz, eine unheimliche Angelegenheit. Ich war beim Hausarzt, um mir Rat zu holen; der Reiz zeigte sich morgens als Rötung an verschiedenen Stellen – unter anderem auf meinem Arm. »Prima«, dachte ich, »da braucht er nicht lange zu suchen.« Als ich den Ärmel hochkrempelte, war alles verschwunden (keine Angst: kommt abends wieder!).

Der Doktor war nicht im geringsten erstaunt.

»Ja«, sagte er, »das kommt vor. Es sind Oberflächenreize, die mehrere Ursachen haben können.«

Jedenfalls scheinen die Oberflächenreize ausgerechnet die Nacht für die beste Zeit zu halten, sich in ihrer ganzen Schönheit zu präsentieren.

»Ein Beweis dafür, daß es psychisch bedingt ist.« Im Geiste höre ich es schon sämtliche Experten wichtig verkünden. Na ja, möglich wär's.

Ich nahm meine Zuflucht zu allerlei Hilfsmitteln – wanderte durch die Wohnung, kramte in Papieren und fand dabei einen Zeitungsausschnitt folgenden Inhalts:

»Sprechleitung für Ältere! Können Sie nicht schlafen, weil Sie Probleme haben – oder möchten Sie einfach mit jemandem reden? Auf unserer Plauderleitung finden Sie immer ein offenes Ohr. Sie können täglich zwischen zehn Uhr abends und zwei Uhr nachts anrufen.«

Es war drei Uhr nachts. Immerhin: Beim nächsten Mal werde ich mir ein Herz fassen und anzurufen versuchen; es wird nicht ganz einfach sein, denn irgendwie wehre ich mich gegen solche Dinge. »Das kriege ich schon allein hin!« denke ich eigensinnig.

Heleen

Meine liebe Taube,

wie schön, daß du jetzt endlich einmal zu deinem Vergnügen verreist warst – mit deinen Enkelkindern an die See! Was du alles an beruflichen Reisen absolvieren mußt – da könnte ich nicht mehr mithalten. Und wo du schon überall warst! In Genf, zu einem Kongreß in Bern... Und dabei bist du schon siebzig, und es ist bestimmt kein Pappenstiel, immer wieder Koffer zu packen (was ziehe ich an?), die Wohnung in ordnungsgemäßem Zustand zu hinterlassen, Informationen zu verteilen und Anweisungen für die Post und zur Blumenpflege zu geben. Gottlob hast du nicht obendrein noch Katze oder Hund.

Ich gestehe, daß ich vor solchen Strapazen immer mehr zurückschrecke. Du wie ich ohne Auto, und dann immer die Schlepperei mit den Koffern! Alte Leute, die verreisen wollen, sollten sich in Zugvögel verwandeln können: Einfach die Flügel ausbreiten und *up, up and away* ohne all die lästigen Vorbereitungen ... Bevor man die Reise antritt, hat man schon so viel Energie verschwendet!

Die Sommerwoche in den Ardennen hat mir deutlich gemacht, daß ich – gegenüber dem vorigen Jahr – bei organisierten Veranstaltungen ziemlich zurückstecken muß; ich kann einfach nicht mehr stundenlang laufen. Voriges Jahr konnte ich in Wald und Flur noch alles unternehmen, was mein Herz begehrte. Du kennst das ja bei mir: mich nach jeder Pflanze bücken, neugierig an jeder Blume riechen, gelegentlich auch ihren Geschmack prüfen oder sie unter der Lupe betrachten. Mit einer Naturliebhaberin, deren Hobby die Vögel sind, war ich in den »Hautes Fagnes« – einem unübersehbar weitgestreckten Moorgebiet, einsam und geheimnisvoll. Man geht ausschließlich auf genau bezeichneten Pfaden, manchmal über schmale, halbversunkene Planken, und manchmal gibt der Morast unter den Füßen auch nach. Auf einmal standen wir vor einem Fleck, der auf so unheimliche Weise mehr Teich als Land war, daß wir entsetzt zurückwichen. Unwillkürlich kamen mir die Kruzifixe in den Sinn, die hier und da eine Stelle markieren, an der jemand eingebrochen und versunken ist. Aber da wir nun einmal Glückspilze sind, standen plötzlich zwei stämmige Landarbeiter in Gummistiefeln neben uns, die sich in der unheimlichen Gegend bestens auskannten. Sie forderten uns auf, hinter ihnen herzugehen und genau in die Abdrücke ihrer Sohlen zu treten. Dabei mußte ich an das Buch über Schutzengel denken, das ein anthroposophischer Hausarzt aus Middleburg geschrieben hat: Es handelt von den Erfahrungen seiner Patienten mit Engeln als Retter in der Not.

Nun, die Rettungsaktion klappte; Anstrengung, Konzentration und äußerste Aufmerksamkeit ließen sie gelingen. Und auf dem Rückweg dachte ich selbstgefällig: Jungejunge – achtzig! Aber so was schaffst du immer noch »mit links«.

Der Rückschlag ließ nicht auf sich warten. Abends im Bett spürte ich es mit Gewalt über mich hereinbrechen: Mein Herz raste.

»... nicht so schlimm«, sagte der Arzt, »aber schön ist es auch wieder nicht. Ich sitze nicht gern auf einem Fahrrad, an dem alles rappelt – man weiß ja nie, wann aus dem Klappern plötzlich Bruch wird.« Mit anderen Worten: Die Anstrengung war zu groß, und danach hätte ich gründlicher ausspannen sollen. In Zukunft werde ich also meine Grenzen besser beachten müssen.

Du wirst verstehen, daß ich den nächsten Morgen ziemlich verunsichert begann; aber es ging – wir verhielten uns ziemlich ruhig. Am Tag danach aber hatten wir (in tropischer Hitze!) einen Bergrücken zu erklimmen, und das wurde mir nach einer halben Stunde einfach zuviel. Mein Gott, dachte ich, wenn das nur gutgeht! Aber dann rettete mich ein plötzliches Gewitter – wir mußten uns unterstellen, und danach jagte uns der Regen über einen schmalen, abschüssigen Waldweg hinunter und nach Hause. Auch das vermittelte mir nicht – wie früher – ein Gefühl des Triumphes, sondern das einer physischen Niederlage. Es hilft mir alles nichts: Ich muß mich damit abfinden, daß meine Kräfte nachlassen. Meine Ferienseligkeit in der freien Natur hat einen herben Knacks bekommen. Ich weiß jetzt auch, daß ich nichts mehr auf eigene Faust unternehmen sollte. Und was mich zusätzlich beunruhigt: Meine Energie zeigt sich wankelmütig: bin ich an einem Tag top-fit – so weiß ich am nächsten einfach nicht aus dem Sessel hochzukommen. In meinem Alter kann man wirklich nur dann etwas unternehmen, wenn man sich seiner selbst ganz sicher ist; und man muß die Möglichkeit haben, sofort abschalten zu können, wenn einem geistig oder körperlich danach zumute ist. Im Klartext: Man sollte keinen Freizeitpartner wählen, der mehr Energie besitzt, als man selbst (noch) aufbringen kann; keinem zur Last fallen also.

Eine gute Lektion für mich war ein Erlebnis, das ich – selber noch gesund und leistungsfähig – vor zehn Jahren mit einer »alten Frau« hatte: Bei einer botanischen Wanderung durch das Wattenmeer hing sie schwer wie Blei an meinem Arm, so daß ich zurückbleiben mußte und von dem, was der Gruppenleiter den anderen vortrug, nichts mitbekam. Damals schwor ich mir, niemals einen anderen in dieser Weise zu behindern. Nun: Wenn man spürt, daß der Körper nicht mehr »von Herzen« mitmacht, fällt der Verzicht ohnehin leichter. Ich bin dankbar, daß ich so lange dabeisein durfte.

Deine Ann

Anne, du bist unbezahlbar.

Mich hättest du nicht einmal vor zwanzig Jahren auf eine schmale Planke im Moor gekriegt! Auf diesem Gebiet hast du mich immer weit übertroffen. Ich erinnere mich, wie du vor nicht allzu langer Zeit auf der Insel Guernsey unbedingt einen Steilhang hinunterklettern wolltest, obwohl ein Schild ausdrücklich darauf hinwies, daß solches auf eigenes Risiko geschähe! Aber jeder hat eben andere Qualitäten. Du hast dich immer heimisch gefühlt in Feld und Wald (nicht zu vergessen alle die Berge, die du erklommen hast), und diese Vorliebe kann auch das Alter nur geringfügig dämpfen.

Bei mir dagegen war es nicht vorwiegend der Ruf der Natur, der mich meine betriebsame Wohnung zuweilen fliehen ließ, sondern das Bedürfnis, meine Gedanken ein wenig zu ordnen. Meine »berufsbedingten Reisen«, wie du sie liebenswürdigerweise nennst, haben eigentlich nur den Zweck, mir etwas von dem früheren Höhenflug wiederzugeben, dessen mein Geist so dringend bedarf. Wenn ich manchmal dennoch frustriert zurückkomme, so liegt das nur daran, daß mir der Erfolg durch ein unbilliges Zusammenspiel von widrigen Umständen und meiner Unzulänglichkeit versagt geblieben ist. Alles in allem aber bringen solche

Ausflüge mir mehr Entspannung als eine Ferienreise mit den (heißgeliebten) Kindern.

Die »wirklich einmal zu meinem Vergnügen – mit den Enkelkindern an die See« – unternommene Reise hat, wie üblich, allerlei Sorgen verursacht. Unser kleiner Harmjan hat ein Augenleiden, dazu bescherte ihm die Seeluft eine starke Entzündung. Ich mußte an meine Mutter denken, die gelegentlich ziemlich herzlos äußerte: »Wenn ich etwas zu meinem Vergnügen unternehmen möchte, lasse ich die Kinder zu Hause.« Dabei hatte sie nur zwei, und – gemessen an heutigen Verhältnissen – ganze Heerscharen von dienstbaren Geistern.

Jedenfalls waren wir – als wir erfuhren, daß es bei Harmjan »nur« eine Entzündung war und nicht etwa eine Verschlimmerung des nicht diagnostizierbaren Übels – sehr erleichtert.

Kofferpacken gehört für mich übrigens nicht zum Schlimmsten, auch wenn ich immer noch von einer Art Garderobe träume, die sich gleichermaßen für jedes Wetter und jeden Anlaß eignet. Was mir Sorgen bereitet, ist die Beförderung meines Gepäcks bis zum jeweiligen Verkehrsmittel und zurück. Auf dem Berner Flughafen, der unmittelbar an den Bahnhof grenzt, ist das hervorragend geregelt. Mit den Wägelchen, die in großer Anzahl bereitstehen, kann man mittels einer Spezialkonstruktion die Rolltreppen hinauf- bzw. hinunterfahren. Ohne Jans Hilfe hätte ich es dennoch nicht geschafft, denn die Praxis erwies sich als recht schwierig und die Entfernung war groß.

Du sprachst einmal davon, daß man sein Reisegepäck mit Van Gend & Loos* bis zum Ferienort oder zu jedem anderen Reiseziel befördern lassen könne, daß es aber sehr teuer sei. Wäre es nicht eigentlich Aufgabe der Niederländischen Eisenbahngesellschaft, sich um Gepäcktransporte zu kümmern – wie das beispielsweise in Westdeutschland geschieht? Es ist ja nicht nur so, daß es immer mehr alte Menschen gibt, sondern Renten, Ruhegehälter und entsprechende Spezialangebote bieten ihnen auch die Möglichkeit, zu verreisen. Gemütlich am Fenster sitzende, strickende Omas, die friedlich mit ihrem Leben abgeschlossen haben, scheinen endgültig ausgestorben zu sein. Und das ist gut so. Ein so langes Stück Leben wie das Altsein kann man nicht schon *vor* dem Ende abschreiben.

Es gibt Leute, die den Begriff »Mitmachen« auf alle Lebensgebiete ausdehnen. Ich las eine Annonce folgenden Inhalts:

Witwe, siebzig Jahre, dem Menschenleben zugetan, würde gern einen Herrn kennenlernen, der zusammen mit ihr eine Beziehung herzlicher Freundschaft aufbaut.

* Niederld. Transportunternehmen

Das hat mich ziemlich umgehauen; ich war immer der Meinung, für meine siebzig Jahre sei ich noch recht unternehmungslustig, aber soviel Hoffnung auf die Zukunft brächte ich einfach nicht zusammen. Wie denkst *du* darüber? Daß wir über diesen Aspekt noch nie miteinander gesprochen haben, mag daran liegen, daß er für *meinen* Gesichtskreis keine Rolle mehr spielt. Aber das muß ja nicht heißen, daß es der Regel entspräche.

Heleen

Liebe verblüffte Taube –

daß eine siebzigjährige Witwe einen Partner sucht, erstaunt mich überhaupt nicht. Aus Paris brachte mir jemand eine französische Zeitschrift für Senioren mit, die sich zwar recht unverbindlich ›Notre Temps‹ – ›Unsere Zeit‹ nennt, jedoch den Untertitel ›Le Magazine de la Retraite‹ führt. Retraite – Ruhestand, so könnte man es übersetzen. ›Notre Temps‹ zufolge (es gibt eine halbe Seite mit Heiratsannoncen darin) scheinen ihre Leser jedoch eine andere Version zu praktizieren: den Rückzug; sie nehmen sich jede Menge Zeit für ihr Retraite, machen Gebrauch von ihren Privilegien, und allem Anschein nach genießen sie es auch.

Das Magazin gibt sich insgesamt viel ungezwungener als unsere steifleinenen ›Blätter für Ältere‹. Man findet alles darin (auch als kommerzielle Anzeigen): Ratschläge für die Schönheits-, Fuß- oder Zahnpflege, für die Wahl von Toupets und Perücken sowie Tips und Hinweise für Kuraufenthalte.

Hier eine willkürlich herausgegriffene Annonce:

Vve retr. 70 a ss ch.des. renc. M 70-75 a pr. amitié sort. Paris au Banlieue. Tel.

Das liest sich zwar äußerst sibyllinisch, aber die Deutung ist ganz einfach: Eine Witwe von siebzig sucht einen Freund zwischen siebzig und fünfundsiebzig.

Und hier noch eine – von einem Witwer:

Vf 70 a isolé, désir. corresp. av. D. 60-70 a pr. rompre solit. sorties, voyages. (Chiffre)*

Warum eigentlich nicht?

Ich glaube, daß wir immer zuviel Hemmungen hatten, das Liebesleben älterer oder alter Menschen zu publizieren. Aus einer Art Scham vielleicht. Und wenn ich »Liebesleben« sage, dann meine ich nicht »Sex« – das weißt du. Sex – das ist doch nur ein Begriff für »alles und nochwas«, ein Einheitsbrei; ähnlich wie »Essen«. Man kann es aus Hunger tun, aus Appetit, um jemandem Gesellschaft zu leisten oder auch nur, weil's jedermann tut; man kann gierig schlingen oder auf ästhetische Weise genießen.

Gegenwärtig wird alles, was mit Sex zu tun hat, an die Öffentlichkeit gezerrt, und zwar so brutal, schamlos und unverhüllt wie möglich. Es ist noch nicht lange her, daß ich einer Sendung ›Sex für

* Einsamer Witwer wünscht Briefwechsel mit Dame, 60-70 Jahre, um seinem Alleinsein zu entkommen. Spaziergänge, Reisen. (Chiffre)

Ältere‹ auf dem Bildschirm folgte. Man präsentierte ein Studio voll aufwendig frisierter Damen – ob Männer dabei waren, das weiß ich nicht mehr. Ein junger Schnösel von Interviewer beugte sich mit seinem Mikrophon von einer Dame zur anderen und fragte betont forsch, als interessiere er sich eigentlich nur dafür, ob sie gern dicke Bohnen esse: »Und Sie, gnädige Frau – glauben Sie, daß Menschen Ihres Alters noch das Bedürfnis nach Sex haben?« Die Antworten kamen natürlich nur zögernd. Wer – um Himmels willen – weiß denn, was für Bedürfnisse seine alte Nachbarsfrau noch hat? Und ausgerechnet *das* ist doch auch kein Thema für »übern Gartenzaun«. Eine einzige von den Mitwirkenden gab die richtige Antwort:

»Wovon reden Sie – von Sex oder Zärtlichkeit?« Jawohl, dachte ich erleichtert, das trifft es haargenau. Was die intimen Vertraulichkeiten mit einem Partner betrifft, so wird überhaupt kein Unterschied mehr gemacht – es fällt alles unbesehen unter »Sex«; wirklich *alles*, ohne Unterschied. Ungeachtet dessen, daß das rein körperliche Gefühl der Zweisamkeit nach vielen Jahren des Zusammenlebens nur mehr gedämpft zum Ausdruck kommt; es ist doch die Zärtlichkeit, die bei älteren Menschen die größere Rolle spielt.

Jemand berichtete mir entrüstet über eine einundsiebzigjährige Bekannte – eine Witwe –, die einen siebzigjährigen Witwer geheiratet hatte; sie sei verliebt wie ein Backfisch, sagte er. Die Witwe hatte eine schwierige Ehe mit einem kranken Mann hinter sich, den sie bis zu seinem Ende treulich gepflegt hatte. Der Witwer seinerseits war durch ein chaotisches Leben mit einer kranken Frau gegangen.

Ist es denn nicht wunderbar, daß die beiden sich gefunden haben und sich gegenseitig all die Fürsorge und Zärtlichkeit schenken können, auf die sie lange Jahre verzichten mußten –?

Du hast mir einmal verraten, daß du den Gedanken an Intimitäten zwischen alten Menschen abstoßend findest. Gewiß, der Körper ist nicht mehr schön und anziehend, aber das spielt keine große Rolle; die gewachsene Zweisamkeit ist viel wichtiger als äußere Schönheit. Schönheit wird zu einer ganz anderen Dimension.

Und jetzt muß ich auf einmal an das herrliche Buch von Graham Greene denken: ›Travels with my aunt‹. Erinnerst du dich? Tante Augusta, die kernige, immer noch sehr lebendige fünfundsiebzigjährige Engländerin, immer unterwegs, bekennt ihrem Neffen plötzlich, daß sie in den letzten sechzig Jahren nie ohne Liebhaber gewesen sei … Und jetzt hat sie diesen rührend kindlichen Schwarzen, den sie gleichzeitig als Mädchen für alles benutzt.

Ach, diese Szene, da sie mit dem Orient-Expreß von einem Pariser Bahnhof nach dem Orient entschwindet und der Junge – in Tränen aufgelöst –

neben dem fahrenden Zug herläuft: »… I want my baby girl (In wan'my bebi gel)« …

Sie aber, hinter der Fensterscheibe, wischt nur kurz über ihre Augen.

Es hat mir tief ans Herz gegriffen. –

Ann

Liebe Ann,

eigentlich war es nicht die Tatsache, daß alte Menschen noch das Bedürfnis nach intimer Beziehung haben, die mich erstaunte (die fortschreitende Emanzipation hat dieses Kapitel ja bereits überall und mehrfach zur Sprache gebracht), sondern der *Mut* dieser Siebzigjährigen – einer Altersgenossin also. Sie hat ihr Leben gelebt, hat ihre Eigenarten entwickelt und ihre Form gefunden, und jetzt sucht sie unverdrossen nach einem Unbekannten – nach einem Individuum wohlgemerkt, das keineswegs biegsam oder flexibel wie ein junger Mann ist, das aber ihr Leben dennoch in Gefahr bringen könnte – wenn auch auf ganz andere Weise. Wenn es regnet, tut es ihm irgendwo weh, und bei Hitze spürt er sein Herz. Er schwärmt für kühle Getränke oder für Alkohol, will täglich einen Spaziergang machen oder aber ganz gemütlich zu Hause sitzen. Er hat bestimmte Vorstellungen von Politik, Moral, Kunst oder was auch immer, und das muß entweder alles zu ihr passen, oder es kracht.

Eine Ehe stellt Anforderungen, und nach einem so langen Leben sind beide Partner unzweifelhaft Menschen mit Gebrauchsanweisung. Wenn es kein Fiasko werden soll, muß sich der Einsatz (die

95

Aufgabe der Freiheit) erkennbar lohnen. Aber es gibt eben Menschen, die das Einsamsein mehr fürchten als den Tod; um dem Alleinsein zu entgehen, sind sie notfalls auch zu großen Opfern bereit.

Mit der Tendenz deiner französischen Zeitung kann ich mich nicht so recht anfreunden. Natürlich ist es amüsant, derartige Sujets mit leichter Feder anzugehen – unsere eigenen entsprechenden Blätter tun sich in dieser Hinsicht ja ziemlich schwer; wahrscheinlich übrigens deshalb, weil sie vorwiegend von jungen Leuten gemacht werden, und die scheinen zu glauben, daß sie sich – sobald es um »unsere Alten« geht – ein angemessen betuliches Profil geben müßten. Man hat ihnen zwar beigebracht, daß sie uns nicht mehr Opa und Oma nennen dürfen (*soweit* ist die Psychologie bereits!), und das Wort »Alterchen« ist selbstverständlich auch tabu – aber sie können es sich anscheinend nicht abgewöhnen, immer ein bißchen »in die Knie« zu gehen oder sich uns »zuzuneigen«, wenn sie uns befragen oder etwas mitteilen wollen. In einem von unseren Blättern las ich als Überschrift zu einem Rätsel:

SEHR SCHWIERIGES PUZZLE! Ja, ja – schrecklich schwer. Aber wenn Oma sich Mühe gibt, schafft sie es bestimmt. Wenn ich so was lese, möchte ich meinen Zorn darüber am liebsten hinausschreien! Andererseits bin ich aber auch hochmütig genug, die französischen Sperenzchen zum Übertünchen des Altseins (wenn man es einmal ist) nicht ausstehen zu können. Was will ich denn noch? Jedermann *darf* sagen, ich sei alt. Nicht, daß ich es besonders charmant fände – aber es ist doch unübersehbar! Das einzige, was ich mir verbitte, ist, von einem »kategorischen Standpunkt« aus betrachtet zu werden. Ich unterscheide mich von meinen Mitmenschen immer noch auf die gleiche Weise wie früher. Alt und einsam geworden bin ich auf meine ganz persönliche Art, und die stimmt nur in ganz wenigen Punkten mit der meiner Nachbarn, meiner Familie oder meiner Freunde überein. Und zu meiner eigenen speziellen Art gehört selbstverständlich auch, in vernünftigem Maße äußerlich ansehnlich zu bleiben; wobei ich es allerdings verschmähe, mich jedes x-beliebigen Hilfsmittelchens zu bedienen. Die französische Manie, alles auf Hochglanz zu polieren, ist mir einfach zu affig.

Und dieses ewige Dabeiseinmüssen bei Liebe, Sex, Erotik oder was auch immer hat für mein Verständnis etwas Hysterisches. Manche Zeitgenossen scheinen sich dauernd beweisen zu müssen, daß alles »noch klappt« – daß ihre sexuelle Potenz noch keine Schwächung erfahren hat. Ist es der Fall, so findet »man« (der jüngere »man« jedenfalls) es fantastisch, denn »man« fürchtet offensichtlich nichts so sehr, als daß »es« unversehens zu

Ende sein könnte; was so manchem denn auch passiert und einer echten Katastrophe gleichkommt – ohne Zweifel. Es bedeutet den Verlust großer Impulse und einer gewaltigen Quelle der Inspiration.

Das Ende immer wieder hinausschieben zu können bedeutet natürlich Gewinn. Denk nur an die großen Künstler, die noch in hohem Alter schöpferisch tätig sind und dabei fast immer erotisch aktiv bleiben! Sicher sollte es im Interesse der persönlichen Würde echt und glaubhaft sein, und ich meine auch, daß man mit der Gnade, all seine Gefühle behalten zu haben, ein wenig zurückhaltend umgehen sollte.

Oje – da fange ich also doch wieder an zu predigen und zu moralisieren.

Warum ich meine, daß man es vor Außenstehenden verbergen sollte, wenn man alt und gleichzeitig verliebt ist –? Weil ich wahrscheinlich die kleinen puritanischen Eigenheiten meiner (im übrigen doch ziemlich toleranten) Vorfahren auch in mir selbst noch nicht besiegt habe.

Vor einer Ewigkeit – ich war damals noch sehr jung – war ich mit meiner Tante an der See. Ein junges Paar in Badeanzügen stellte seine innigen Gefühle in aller Deutlichkeit zur Schau, was meine Tante zu der Bemerkung verleitete: »Wer sich nicht selbst geniert, der geniert andere.«

Wäre das nicht ein Zitat, worüber man lange

diskutieren könnte? Denn: *gênant* – was bedeutet es *wirklich*?

Laß uns noch ein bißchen bei diesem Thema bleiben!

Heleen

Was regst du dich auf, liebe Taube,

über das französische Seniorenblatt, worin nach
deiner Meinung die Sorge um den annehmbaren
Augenschein des Altwerdens übertrieben wird?
Natürlich darfst du alt werden, wie du selbst es
möchtest und ohne dir auch nur das kleinste
Mittel aufschwatzen zu lassen, aber *du* kannst das
auch – du hast noch schönes Haar und gesunde
Zähne, und das ist das erste, was ins Auge fällt!

Du hast mich übrigens noch nicht mit meinen
neuen Schneidezähnen gesehen! Die alten waren
derart grau, glanzlos und bröckelig geworden, daß
ich mich schämte. Wenn ich gelegentlich mit
jemandem darüber sprach, bekam ich meistens
den wohlgemeinten Rat: »Och, laß doch – bei *deinem* Alter …« Und mein alter Zahnarzt hielt (nicht
gerade im Sinne französischer Seniorenzeitschrif-
ten) auch nicht viel von Restaurierungen. Ein jün-
gerer aber, der mit den allermodernsten Techniken
arbeitet, stimmte mit mir überein, daß man auch
mit achtzig noch Wert auf sein Äußeres legen sollte. Er nahm die schwierige Aktion beherzt in
Angriff, und nach einer halben Stunde intensiver
Behandlung durch Schleifen, Bestreichen, Be-
leuchten (elektronisch – die reinste Zauberei!)
glänzten sie wie neu. Ich bin jetzt bei Gesprächen
so selbstsicher, daß es mich fast übermütig macht.

Soviel zu den Zähnen. Und, wie gesagt: *Du* hast noch gesundes, dichtes Haar, auch wenn du hin und wieder über eine sich lichtende Stelle jammerst. Die Haare sind für fast jeden Älterwerdenden eine Quelle des Kummers, und die hutlose Mode, wie sie seit Kriegsende »in« ist, macht es uns nicht gerade leichter. Wenn ich das Bildnis von Rembrandts bibellesender Mutter betrachte, wird mir beim Anblick ihres Spitzenhäubchens ganz wehmütig ums Herz.

Du bist keine Radfahrerin und kannst deshalb auch nicht sehen, was *mir* manchmal auffällt: eine radelnde Lockendauerwelle vor mir, die, wenn der Fahrtwind sie auseinanderweht, kahle rosa Haut entblößt. Und dann denke ich unwillkürlich: »Menschenskind, warum tust du nichts dagegen – warum trägst du nicht einfach ein kleines Haarteil?«

Der unwiderrufliche Verlust der Haare ist für mich eine der deprimierendsten Begleiterscheinungen des Alterns. Für manch einen bedeutet es sogar echtes Leid – glaub es mir! Und eigentlich ist es – auch wenn es von Natur aus so programmiert ist – eine irrsinnige Diskriminierung, daß Männer in aller Gemütsruhe kahl werden dürfen, Frauen hingegen nicht. Achte mal auf Zeitungsfotos, die täglich ganze Gruppen von weltbeherrschenden Männern zeigen, und wie viele Kahlköpfe sich darunter befinden! Jedermann findet es stinknormal.

Wenn aber die allgegenwärtige Mrs. Thatcher dabei ist, meditiere ich manchmal: Stell dir vor, sie litte unter Haarausfall und hätte kahle Stellen am Kopf ... Absolut unakzeptabel!

Und dann: Wenn man als Frau wirklich noch auf der Suche nach einem Weggefährten ist (wozu du dich in deinem Brief so unwirsch äußerst), dann sollte einen der Partner doch mit Wohlgefallen anschauen können – und nicht sein Mißbehagen über möglicherweise unappetitliches Aussehen in sich hineinfressen müssen.

Vielleicht ist es ja *wirklich* die Einsamkeit, die alte Menschen dazu bringt, einen Partner zu suchen und freiwillig »große Opfer« (Zitat: Taube) zu bringen, damit störende Ungleichheiten nicht zum Problem werden. Der eine will eben Kaffee, der andere bevorzugt Tee – und während der eine gern vorm Bildschirm sitzt, geht der andere lieber mit dem Hund spazieren. Na und?

Du mißt diesen Dingen zuviel Bedeutung bei. Ich gehe davon aus, daß, wenn man einerseits froh darüber wäre, nicht mehr allein zu sein – man andererseits bestimmt auch bereit ist, Zugeständnisse zu machen. Und in unserem Alter ist man doch abgeklärt genug, um zu wissen, daß man vom Partner nicht allzuviel verlangen darf.

Die menschlichen Ur-Instinkte bleiben lebendig. – Ich weiß von einer Großmutter, die wochentags für die Kinder ihrer verheirateten Tochter sorgte, weil diese eine Arbeitsstelle hatte. Auf einmal wollte Oma nicht mehr jede Woche – sie hatte einen Freund.

Wie ist das: Hältst du auch nichts von Kurorten, wo man kurt, um so fit wie möglich zu altern –? Warum nur besteht in unserem Lande eine solche Abneigung dagegen! Hat dein Hausarzt dir je geraten, eine Kur zu machen?

Vor einigen Monaten rief mich eine Zweiundachtzigjährige an, mit der ich keinerlei Kontakt mehr hatte, seitdem wir als sieben- oder achtjährige Nachbarskinder miteinander spielten. Sie hatte zufällig meine Adresse erfahren und freute sich über die Wiederbegegnung per Telefon. Unser »… weißt du noch« nahm kein Ende, und wir kamen natürlich auch auf die Gesundheit zu sprechen. Und weißt du, was sie sagte: »Ich will meinen Mitmenschen so wenig wie möglich zur Last fallen und so lange wie möglich auf der Höhe bleiben, und darum habe ich eine Kur bei der berühmten Anna Aslan in Rumänien gemacht. Sündhaft teuer – aber es hat mir unaussprechlich gutgetan.«

A.

Bravo, Anne –

lies mir nur gehörig die Leviten! Es gehört unweigerlich zu Freundschaft und Harmonie. Während
der Jahre, die wir gemeinschaftlich auf Abenteuer
ausgingen, waren wir einmal in Paris, wo wir uns
königlich amüsierten und gleichzeitig in allerhand
interessante Erlebnisse hineinstolperten. Wir haben uns nur ein einziges Mal gestritten, und zwar
über Diamanten. Es ist alles, woran ich mich erinnere, aber wie – um Himmels willen – konnten wir
über Diamanten streiten? Jedenfalls können es
nicht unsere gewesen sein – wir hatten keine.

Ich finde es köstlich, daß du mir eigene Zähne
andichtest. Es sind Jacketkronen! Mein schlechtes
Gebiß war immer mein größter Kummer. Als ich
mit dreißig beim Zahnarzt war, sagte der zu mir:
»Dieses kleine Loch lasse ich offen – in ein paar
Jahren ist ohnehin die Prothese fällig.« Gottlob
fand ich später einen Dentisten, der mutig gegen
meine Zahnruinen zu Felde zog. Dennoch sind die
jetzt uralten Jackets ein Anlaß zu steter Sorge,
irgendwie rumort es immer darin. Wenn ich aber
meinem Zahnarzt schüchtern vorschlage: »Sollten
wir den Schrott nicht einfach herausholen«, ist er
zutiefst entrüstet: »Was wollen Sie eigentlich – das
tut's noch eine ganze Weile!«, und dann unter-
nimmt er die kühnsten Restaurierungsarbeiten,

um das wankende Monument vor dem Einsturz zu bewahren.

Du siehst: Ich bin sehr wohl für Wiederherstellung und die dafür benötigten Hilfsmittel, aber wenn ich zum Beispiel jemandem begegne, bei dem man kilometerweit die Perücke erkennt, meine ich, daß ihn das Ding eigentlich nur noch älter mache. *Wenn* man schon eine trägt, sollte sie wenigstens gut sein; und das ist teuer wie Anna Aslan.

Wieso weißt du eigentlich nicht, daß ich mich bereits seit Jahr und Tag nach einer Kur förmlich *sehne*? Bis jetzt bin ich nicht weiter damit gekommen als höchstens für ein paar Tage – erstens gibt mein Budget es nicht her und zweitens kann ich nicht so lange wegbleiben.

In Rumänien war ich – sage und schreibe: zwei Tage; mit Journalistenkollegen natürlich, und alles wurde für uns bezahlt. Ich sollte darüber schreiben, aber es ist nie dazu gekommen. Es war wohl wieder das berüchtigte »writers block«* plus lähmender Bedenken von höchster Stelle.

Übrigens gab es damals wieder einmal Grund zu ausgiebigem Gelächter. Bei der Unterwassermassage wurde mir ein Bademeister zugeteilt, der nur Rumänisch verstand. Als ich ihn mit einem be-

---

* das schreckliche Gefühl, keinen klaren Gedanken fassen und nie wieder schreiben zu können.

drohlich aussehenden Wasserschlauch auf mich zusteuern sah, hielt ich es für geraten, ihm mitzuteilen, daß ich Herzpatientin sei. Ich habe in mindestens sechs Sprachen versucht, ihm das Wort »Herz« zu erläutern. Er blieb völlig unbeeindruckt und tat, was seines Amtes war – unaufhaltsam wie das Schicksal. Im ersten Moment glaubte ich tatsächlich, mein letztes Stündlein sei gekommen – erstaunlicherweise aber habe ich überlebt, und als ich mich erst einmal beruhigt hatte, war es die reine Wonne; ich träume immer noch davon.

Du siehst: Ich habe absolut nichts gegen Kurorte. Deine Freundin sprach es leichtherzig aus: »Es hat mir unaussprechlich gutgetan, aber es ist sündhaft teuer.« Sündhaft teuer – und genau das ist die Schwierigkeit, heute mehr denn je.

Daß bei uns so wenig Interesse an Wasserkuren besteht, liegt wahrscheinlich daran, daß wir keine eigenen Quellen haben (was ist mit Nieuweschans – wollten die nicht einen eigenen Kurort gründen?), und weil das so ist, geben sich unsere Ärzte auch nicht mit Wassertherapien ab.

Man müßte – wie das in der Bundesrepublik Deutschland möglich ist – drei Wochen lang unter Anwendung von Heilbehandlungen und Thermalbädern kuren können. Unsere Nachbarn schlagen zwei Fliegen mit einer Klappe: Die Krankenversicherungen bezahlen die Kuren und halten somit auch die Kurorte am Leben.

Ich glaube, wir haben uns bisher viel zu wenig Gedanken darüber gemacht, daß es in unserem Land eine große Bevölkerungsschicht gibt, die von Zeit zu Zeit dringend »Überholung« brauchte, *um zu verhindern, daß sie ihre Mitmenschen ungebührlich belastet* (deine Freundin hat das Problem richtig erkannt). Aber das wäre *Vorsorge,* und so weit sind wir hier längst noch nicht; wir sind nicht weitergekommen als bis zu dem Schluß, daß »man die Alten so lange wie möglich selbständig ›lassen‹ sollte«.

Dieser Satz hat mich, als ich ihn las, sofort wütend gemacht. Immer heißt es »lassen« – sie in die Lage versetzen. Als ob wir unmündige Kinder wären (Achtung, da kommt ein alter Mensch – in die Hocke! »Wie geht's uns denn, Omi? Schafft Omi es noch eine Zeitlang allein? Sollen wir Omi mal eine kleine Freude machen –?«)

Nein, nein und nochmals nein!! Omi muß und kann – zum Teufel! – für sich selbst entscheiden!

Heleen

Liebe Taube –

ja, wirklich: Ich hatte es irgendwo im Hinterkopf, daß du schon immer von einer Kur geträumt hast. Aber in einem alten vollgestopften Kopf wie dem meinen sind sogar Dinge, die man eigentlich recht gut weiß, ein bißchen vernebelt, vage oder undeutlich – als lägen sie hinter Mattglas. Ob es dafür auch Kuren gibt –?

Ich möchte noch einmal auf deinen vorletzten Brief zurückkommen – ein bißchen mehr in die Tiefe gehen über das, was deine Tante sagte: »Wer sich nicht selbst geniert – geniert andere.« *Gêne* ist ja auch zeitgebunden, und unsere alte Auffassung von Scham oder Scheu hat im letzten halben Jahrhundert doch einen tüchtigen Sprung machen müssen. In unserer Zeit genierte man sich vor allem, was auch nur im entferntesten nach Sex ausgesehen hätte. Entsinnst du dich noch der weitverbreiteten Aufregung über »gemischte« Schwimmbäder? Ich höre im Geiste noch, wie meine Mutter der sehr konservativen Mutter einer Schulfreundin am Telefon klarzumachen versuchte, daß es Unsinn sei, sich darüber aufzuregen.

Ich bin – wie wir es zu Hause nannten – »ziemlich freizügig« aufgewachsen, aber dieser Explosion von Sex, wie wir sie gegenwärtig erleben, stehe ich ratlos gegenüber. Warum muß ich in meiner seriösen Tageszeitung mitten in den ›Nachrichten aus aller Welt‹ plötzlich einen nackten Mann vor Augen haben – lebensgroß und mit allem Drum und Dran? Es geniert mich einfach. Aber es verkauft sich gut – Sex ist Handelsware geworden. Wenn in irgendeiner ganzseitigen Kolportage der Satz auftaucht, der Sohn sei eifersüchtig auf das Mannesmerkmal seines Vaters, so erscheint das – fettgedruckt und möglichst vulgär ausgedrückt – als Schlagzeile. Ich ärgere mich schwarz über dieses Hausieren mit allem, was mit Sex zu tun hat – »spot on«!*

Aber wer bin ich – eine Achtzigjährige aus einer Familie mit jung und alt, mit stets neugierig gespitzten Ohren, wenn es um Familienklatsch ging! Es gab eine Menge zu erlauschen über dieses geheimnisvolle Gebiet, und als einmal die Sprache auf eine Fehlgeburt kam, murmelte die Tante, die es zum besten gab, geheimnisvoll etwas von »fausse couche«**, denn selbst dieses Thema sollte für Kinderohren unverständlich bleiben.

Heute, wo man eine Geburt in allen Einzelheiten auf dem Bildschirm erleben kann, glaubt einem das kein Mensch mehr.

Dennoch meine ich, daß die Öffentlichmachung von Sex, wie wir ihr jetzt begegnen, gesün-

* Scheinwerfer drauf!
** Fehlgeburt

der sei als das Zeitalter der Königin Victoria, die übergroße Tischdecken nur deshalb favorisierte, weil sie unbedeckte Tischbeine für unsittlich hielt.

Ich finde es auch gar nicht genierlich, wenn ich am Stillen Strand von Terschelling ein unbekleidetes Paar sehe. In den dreißiger Jahren sind wir in Norwegen ohne Badeanzug geschwommen – es war herrlich; Natürlichkeit in der Natur.

Es gibt jetzt eine Offenheit, die ich durchaus für gesund halte. Was mich stört und geniert, ist der schamlose Exhibitionismus in allen möglichen Formen und bis in die geheimsten Winkel hinein. Es war einfach eine Marktlücke, und die durfte (und darf) natürlich nicht ungenutzt bleiben.

Wenn ich an einem Zeitschriften-Kiosk ›Opzij‹* kaufen will, geniert es mich ungemein, daß mein Blick beim Suchen zwangsläufig über all die zur Schau gestellten Schamlosigkeiten wandern muß. Versteh mich richtig: Ich weiß, daß es Sex in all seinen Varianten immer gegeben hat – aber ich will ihn nicht aufgedrängt bekommen, so wie jetzt. Das ist menschenunwürdig.

Junge Leute sehen das möglicherweise anders. Aber die können ja auch nicht vergleichen. Wir sind noch viel zu sehr verhaftet in der puritanischen Welt, in der wir aufgewachsen sind und in der alles, was nach Sex aussah, ausgemerzt wurde

* ›Abseits‹, Frauenzeitschrift

wie Unkraut aus einem liebevoll gepflegten Blumenbeet.

Wir waren – auch soweit es intime menschliche Verhaltensweisen betraf – in feste Lebensregeln eingesponnen wie in einen Kokon. Jetzt, mit all den »ungeregelten Verhältnissen« (um es irgendwie zu benennen) um uns her und selbst in meiner allernächsten Umgebung, weiß ich auf die Frage, wie ich darüber denke, nicht zu antworten. Es ist mir ernst, wenn ich sage: »Ich habe kein Urteil – ich versuche es unter gegenwärtigen Gesichtspunkten zu begreifen, und ich will vor allem niemanden verurteilen.« Alles ist relativ, und wir sind unterwegs nach völlig neuen Formen des Zusammenlebens.

Ich habe mit Interesse das Büchlein ›Über Liebe gesprochen‹ von Iteke Weeda gelesen, in dem die neuen Lebensregeln sozusagen am laufenden Band angepriesen werden.

Wozu ich allerdings einige kritische Anmerkungen zu machen hätte.

Ann

Liebe Ann,

weißt du, was mir immer wieder auffällt –? Wir möchten so gern frei sein, aber kaum haben wir uns einer Sache entledigt, da schneidern wir uns schon wieder ein Korsett für etwas ganz anderes. Erinnerst du dich noch an dein Stück über die Auswirkungen der Pille, das du in den sechziger Jahren geschrieben hast (sehr modern und auf den neuesten Untersuchungsergebnissen fußend) und daß jedermann davon überzeugt war, du habest es aus antiquierten Erwägungen heraus geschrieben und weil du grundsätzlich gegen die Pille seiest –? Niemand konnte sich vorstellen, daß du der Sache völlig unvoreingenommen gegenüberstandest und nur auf die schädlichen Folgen und Nebenwirkungen hinweisen wolltest.

Ausgerechnet wegen dieser Faktoren aber entstand damals eine neue Art von Verkrampftheit; niemand durfte der »Errungenschaft« auf den Grund gehen. Zuerst *durfte* man nicht darüber sprechen – auf einmal aber *mußte* man es tun, eventuelle Nachteile aber tunlichst verschweigen. Es kamen sogar Gespräche darüber in Mode, wie oft man »es« tun sollte. Der neue Zwang fand seinen Niederschlag in einem amerikanischen Roman (›Kinflicks‹ von Lisa Alther), worin die Heldin alle sexuellen Glanzleistungen ihrer Partner beschreibt – untermalt von einer Art selbstkritischer Trauer.

Ich meine eigentlich, daß Sex und alles, was damit zusammenhängt, eine so verworrene Angelegenheit ist, daß es bestimmt noch lange Zeit braucht, bis wir uns in völliger Ungezwungenheit damit befassen können; wenn es überhaupt jemals dazu kommen wird. Was heißt »natürlich«? Und ist es ein Wunder, daß zunächst einmal jeder übers Ziel hinausschoß, als das Tabu endlich aufgehoben wurde? Als ich im Krankenhaus lag und gezwungenermaßen wochenlang die Gesellschaft von Frauen akzeptieren mußte, die ich mir niemals zur Freundin – ja, nicht einmal als oberflächliche Bekannte gewünscht hätte, wurde ich täglich von neuem abgestoßen von ihren schauderhaft rückständigen Sprüchen: »Nackt ist schmutzig«, sagte eine von ihnen. Ich war entsetzt. An sie wären alle sexualethischen Neuorientierungen verschwendet. Sie stand immer noch auf dem Standpunkt, daß man sich (auch in intimen Situationen) von Kopf bis Fuß verhüllen müsse, weil man sonst unanständig sei. Auch gegen solche Hirnrissigkeiten mußten die Erneuerer der Sexualethik antreten, und da ist es immerhin verständlich, daß sie zuweilen auch grobes Geschütz auffuhren. Die Vorurteile mußten niedergemacht werden: Weg mit jeglichem Schamgefühl! Übrigens: An der vermeintlichen Prüderie der Königin Victoria sind neuerdings Zweifel aufgekommen. Es gibt inzwischen auch die Version, die Victorianer seien sehr sinnlich gewesen; ich könnte es mir gut vorstellen. Wenn man soviel verbietet, enthüllt man gleichzeitig eine ganze Menge über seine eigene innere Einstellung.

Für meine Begriffe steckt in diesem ganzen Zurschaustellen von lebensvollen Körperteilen eine Art Aufsässigkeit: »Seht her, was ich zu tun wage!«

Ästhetisch gesehen ist natürlich längst nicht alles reizvoll. Ich entsinne mich einer jener illustrierten Comics aus meiner Kinderzeit – Titel: Was wäre, wenn alle Menschen nackt herumliefen? Und unter der dazugehörigen Zeichnung stand: »Das wäre längst nicht so interessant, wie man es sich vorstellt.« Du wirst dir denken können, was die Zeichnung darstellte: Menschen, die ihre Kleider besser anbehalten hätten; sie hatten wenig Schönes zu bieten.

Und das, was früher versuchsweise als Comic angeboten wurde, ist am Strand Alltäglichkeit geworden.

Es gibt Menschen, die sind atemberaubend schön – in der Tat, aber andere tun sich, wenn sie dem Betrachter *alles* darbieten, selber großes Unrecht an. Als ich aber vor kurzem innerhalb einer Diskussion sagte, in einem solchen Falle wäre es wohl besser, die Kleider anzubehalten, wurde ich von jungen, modernen Gesprächspartnern heftig attackiert. Sie fanden es unfair – in gewisser Weise sogar herabwürdigend. Es scheint mir eines der gravierenden Generationenprobleme zu sein.

Ein weiterer Maßstab liegt darin, *wie* man es zur Schau stellt. Es gibt Haltungen, die in meinen Augen einfach obszön sind. Vor allem aber diesen begegnet man in den Zeitschriften, die du passieren mußt, bevor du in der Bahnhofsbuchhandlung ›Opzij‹ erobert hast. Es wird Geld damit verdient – aber kann dies ein Kriterium für die Grenze des Erlaubten sein? Keinesfalls.

Es gibt heutzutage außerhalb des Showbusiness eine Menge Berufe, für die ein hübsches Äußeres erforderlich ist: Stewardessen, Reisehostessen, Empfangsdamen an Hotelrezeptionen, bei Banken oder Reisebüros. Ihr Äußeres bestimmt die Höhe ihres Gehalts, aber dafür kann man sie nicht verurteilen. Selbst meine Tante läge hier schief mit ihrem »wer-sich-selbst-nicht-geniert, der-geniert-andere«.

Aber es gibt unendlich viele Dinge, mit denen man andere wirklich genieren kann. Und ich könnte mir sogar vorstellen, daß ein überzeugter Nudist einen bis zur Nasenspitze vermummten Strandläufer anstößig fände, weil jener die Natur offensichtlich ablehnt, während er, der Nudist, sie wunderbar und erhebend findet –.

Du hast recht: Alles ist relativ, und man muß sich gegenseitig respektieren... Oh, Ann, wie klug ich wieder einmal bin! Aber das hindert mich nicht daran, gelegentlich zu explodieren und mit Vehemenz zu rufen: »Also – *das* geht wirklich zu weit!!«

Auch *das* ist ein Recht.

Heleen

Liebe Taube,

wie mögen es die Jüngeren finden, daß wir, die Alten, uns derart engagiert mit dem Thema »Sex« befassen –? Aber diese Sache hält ja seit Ewigkeiten alle Menschen jeglichen Alters in Atem. Neu ist nur, daß sich die Grenzen der Lebenszeit und des effektiven Altseins so verschoben haben. Heute bleibt man als alter Mensch viel länger an allem beteiligt und interessiert als früher.

Vielleicht steht Sex nur deshalb so sehr im Mittelpunkt menschlicher Anteilnahme, weil es mit dem Mysterium des Lebenspendens zusammenhängt. Wir können zwar mit unseren technischen Möglichkeiten einen vorprogrammierten menschenähnlichen Roboter herstellen, der – wenn auch ziemlich ungelenk – alles mögliche ausführen kann, aber einen lebenden Menschen zu schaffen: dazu bedarf es selbst im Reagenzglas einer Eizelle und eines Samenfädchens, und beide sind ausschließlich im Intimbereich des Menschen zu finden. Man kann es gar nicht zu Ende denken. Beginn und Ende des Lebens sind und bleiben Mysterien.

Ich bin in letzter Zeit (du weißt es!) sehr eng befaßt mit liebenswerten Menschen, die sich durch das letzte Stück ihres Lebens hindurchkämpfen. Ja, es ist Kampf – der Versuch, durchzuhalten, weil man seine Menschenwürde bis zum bitteren Ende bewahren möchte. Meine alte Nachbarin, die auch dir bekannt ist und mit der ich vor nicht allzu langer Zeit auf ihren fünfundneunzigsten Geburtstag mit Champagner angestoßen habe, muß sich jetzt doch damit abfinden, nicht mehr in ihrem alten, liebgewordenen Häuschen leben zu können. Sie kann nicht mehr alleinbleiben – sie ist praktisch blind, wird taub, bekommt Schwindelanfälle und fällt oft hin. Ich besuche sie alle paar Tage, und dann sagt sie jedesmal: »Jetzt kann ich nicht mehr – ich werde ein Ende machen.« Das Pflegeheim als einzige Lösung hängt über ihrem Haupt wie ein Damoklesschwert. Ich kann sie so gut verstehen! Es ist doch ein Elend, seine kleine Welt, mit der man verwachsen ist (und die *sie* wegen ihres künstlichen Hüftgelenks ohnehin nicht verlassen konnte), endgültig aufgeben zu müssen; es ist ungefähr so, als würde eine Pflanze mit all ihren Wurzeln aus der Erde herausgerissen. Wenn ich von ihr weggehe, bin ich immer eine Zeitlang voller Trauer. Aber ich bin machtlos; während ich ein paar Trostworte für sie murmle, schäme ich mich fast, selber noch so fit zu sein. Für mich ist es immer wieder eine Mahnung, sehr, sehr dankbar zu sein.

Der Zusammenbruch, das Erlöschen jeglichen Glanzes – damit wird man in meiner Generation, die sich sowohl auf der schönen wie auch auf der deprimierenden Seite der achtziger befindet, immer eindringlicher konfrontiert. Wie oft schon hast du bei mir angerufen und dich nach meinem Befinden erkundigt, wenn ich von der weiten, anstrengenden Reise zu meiner geliebten älteren Schwester zurückkam! Ihr Haupt mit dem schütteren Haar scheint immer kleiner zu werden – sie spricht mit eingefallenem Mund, weil sie die Zahnprothese, die ihr lästig war, nicht mehr benutzt. Seitdem ihr die eine Hand den Dienst versagt, hat sie sich selbst ein wenig verloren. Wenn wir uns begegnen, weiß ich nicht, wer sich hilfloser fühlt: sie mit ihrem gelähmten Arm – dazu verurteilt, sich versorgen zu lassen – oder ich als machtlose Statistin.

An einem geradezu tropisch warmen Tag saß sie eingewickelt in ein Plaid und klagte, ihre Füße seien zwei Eisklumpen. Ich habe ihr die Schuhe ausgezogen und die Füße mit den Händen massiert und gerieben, und ich mußte die Tränen über meine Machtlosigkeit gewaltsam zurückdrängen; auf der Straße übermannten sie mich dennoch. Jedesmal, wenn ich von ihr weg und zum Bahnhof gehe, bin ich in Tränen aufgelöst. Ich kenne niemanden dort, und die Menschen, die mir begegnen, mögen denken: »Sieh an, die alte Frau weint.« *So what –?** Alte Menschen grämen sich über den Verfall ihrer alten Mitmenschen; vielleicht auch deshalb, weil es ihnen bald selber so ergehen wird.

* Na und –?

Vielleicht bemerkst du es in deiner Umgebung noch nicht so sehr – dieses langsame Verlöschen innerhalb eines Freundes- oder Bekanntenkreises. Zehn Jahre mehr oder weniger: In steigendem Alter kann das sehr viel bedeuten. Manchmal zucke ich beim Läuten des Telefons regelrecht zusammen – ... jetzt! denke ich, jetzt ist es passiert: eine Freundin, die wegen der Entkalkung ihrer Knochen rasende Rückenschmerzen hat – (ich kenne im Augenblick zwei mit dem gleichen Leiden); eine alte Kollegin vielleicht, deren Augenoperation nicht gelungen und die jetzt todunglücklich ist, weil sie alles verzerrt sieht; oder aber eine Freundin aus frühester Jugendzeit, die mit leiser, unendlich trauriger Stimme berichtet: »Mein Mann ist eingewiesen worden – es ging nicht mehr, er war völlig umnachtet...« Und dann eine Tochter, die mir mitteilt, daß ihre Mutter auf der Intensivstation liege.

Kannst du dir vorstellen, wie ich aufatme, wenn der fünfzehnjährige David – mein Freund seit seinem vierten Lebensjahr – hereingestürmt kommt und mir atemlos von seinen neuesten Computerexperimenten berichtet?

Ich bin so dankbar, wenn junge Menschen mich aus Zuneigung besuchen...

Deine manchmal niedergeschlagene Ann

Anne,

dein letzter Brief hat mich sehr angerührt. Manchmal ist Altwerden wirklich ein schmerzlicher Vorgang. Ich gehe eigentlich mit sehr wenigen Menschen um, aber wenn ich plötzlich mit Alten als »Milieu« konfrontiert werde – wie in dem doch sehr anheimelnd betriebenen Altenheim, das wir beide manchmal besuchen –, bekomme ich ein Gefühl von Platzangst. Dann verstehe ich auf einmal sogar diese närrischen Menschen, die – obwohl selber alt – immer wieder betonen, daß sie alte Leute nicht ertragen können. Es ist tatsächlich beklemmend, und die Furcht, mich in absehbarer Zeit vielleicht selbst in dieser Lage zu befinden, macht es nur noch schlimmer.

Ich greife einen Satz aus deinem Brief heraus: »Mein Mann ist eingewiesen worden – es ging nicht mehr, er war völlig umnachtet...«

Umnachtet: Die große Angst. Wann beginnt es? Wie? Kann man sich ihm entziehen? Kann man etwas dagegen tun?

Manchmal fühle ich die Bedrohung von allen Seiten. Ich lege (wie du) meine Brille in den Kühlschrank oder bin mit meinem Haushaltsbuch unterwegs zum Medizinschränkchen. Ich lache darüber – »Dummkopf!« sage ich laut, aber es hat einen falschen Klang. Ist es ein erstes Symptom?

Manchmal habe ich wirklich das Gefühl, als habe sich in meinem Gehirn eine Schraube gelockert; es bedarf nur einer jähen Bewegung, um mich Dinge verknüpfen zu lassen, die gar nichts miteinander zu tun haben.

»Ich glaube, ich werde verrückt«, sagte ich zu meiner Tochter – nicht etwa, um ihren Widerspruch herauszufordern oder um zu hören, wie das klingt, sondern weil ich es rechtzeitig registrieren möchte.

»Ach nein«, erwiderte sie, »das glaube ich nicht. Aber wenn du es wirklich befürchtest, solltest du einen Geriater konsultieren. Ich habe erst kürzlich gelesen, daß man etwas dagegen tun kann.«

Wenn ich zu einem der drei Ärzte, in deren Behandlung ich bin (Hausärztehepaar und Internist), davon spreche, einen Geriater aufzusuchen, betrachten sie mich einigermaßen unsicher. »Glauben Sie denn, Sie könnten Ihr Leben noch einmal ganz umstellen?« fragte mich einer von ihnen.

Nein, das glaube ich keineswegs, aber ich möchte über die neuesten Forschungsergebnisse auf diesem Gebiet unterrichtet sein – ich möchte wissen, wogegen man gegebenenfalls etwas unternehmen kann und womit man einfach zu leben hat.

Aber entweder sind Geriater äußerst rar oder sie haben viel zu tun. Ich habe mehrmals um eine entsprechende Konsultation gebeten: ohne Erfolg. Gehört es denn nicht zu unserer Emanzipation als

Bevölkerungsgruppe (als *Alte* – und darum geht es doch!), daß man einen Termin beim Geriater als etwas ganz Normales ansehen darf? Mit einer sachlichen Beurteilung des Altseins könnte man das bestehende Tabu wenigstens zum Teil entschärfen. Und man *muß* es ein Tabu nennen – man denke doch nur an die idiotische Scheu vor dem Wörtchen »alt«! Lauter beschönigende Umschreibungen: betagt, Senioren, dritter Lebensabschnitt –. Alt zu sein ist eben doch so etwas wie eine Schande. Man beleidigt Menschen, wenn man sie »alt« nennt. Und mein eigenes stures Festhalten am Terminus »alt« ist viel zu krampfhaft, als daß es ungezwungen wirken könnte. Wenn ich jemanden kennenlerne, habe ich ihn garantiert innerhalb von fünf Minuten mit der Nase darauf gestoßen, daß ich alt bin und mich auch dazu bekenne.

Was nicht wegnimmt, daß es mir jedesmal einen heimlichen Stich versetzt, wenn jemand mich von sich aus »alt« nennt. Vielleicht können wir erst dann von Emanzipation reden, wenn man uns ohne weiteres »vervelend oud mens«* nennen darf.

---

* Siehe Anm. Seite 11. Das oft benutzte Eigenschaftswort »vervelend« ist in seiner Bedeutung gespalten. Es kann als »langweilig«, »lästig« oder »unangenehm« übersetzt werden und bezieht seinen Sinn jeweils aus der Verbindung mit Hauptwort und Satzaussage.

Und noch eines: Wir fühlen uns außerordentlich geschmeichelt, wenn man uns jünger einschätzt, als wir es tatsächlich sind – oder wenn man sich wundert, daß wir schon sooo alt sind (haach!).

Damit muß natürlich umgehend Schluß sein!

Heleen

Meine liebe Taube –

fühlst du dich wirklich derart verunsichert, daß du einen Geriater aufsuchen möchtest? Ach komm – was kann so ein Spezialist denn dagegen tun, daß du alt wirst! Alles Lebendige wird alt, Bäume ebenso wie Hunde und Ratten; an Ratten denke ich deshalb, weil ich gelesen habe, daß gerontologische Forschungslabors manchmal Tausende von Gulden für alte Ratten (es gibt kaum noch welche!) bezahlen.

Das Altwerden – nun, niemand findet sich gern damit ab; wir möchten, daß alles so bleibt, wie es immer war.

Du fürchtest also, den Verstand zu verlieren. Wenn ich verrückte Dinge tue oder sage, fürchte ich das auch, aber meine Umgebung beruhigt mich immer wieder. Wahnsinnig werden: Das passiert im Gehirn.

Ich stelle es mir so vor, daß sich in diesem hochsensiblen Computer ein paar Verbindungsteilchen lösen oder ineinander verheddern. Es gibt einen schönen Namen dafür: Alzheimersche Krankheit.

Heikle Krankheiten bekommen den Namen ihres Entdeckers und sind somit klassifiziert – wenn man auch (noch) nicht weiß, was man dagegen unternehmen könnte. Natürlich bleibt zu hoffen, daß man ein Heilmittel dafür findet oder – besser noch – sie zu verhindern lernt.

Vielleicht ist dein Kopf einfach überfüllt. Wenn du dein Kassenbuch zu den Medikamenten packst und die Medikamente in die Schreibtischschublade, dann kommt das wahrscheinlich daher, daß du gerade mit der Übersetzung eines komplizierten russischen Textes beschäftigt bist. Weißt du noch, wie wir uns vor Jahren (!) einmal halbtot gelacht haben, weil ich sagte: »Ich muß meine Brille anrufen…«? Die Brille mußte gesucht und irgend jemand mußte angerufen werden. Vielleicht gibt es in unserem Kopf so etwas wie eine Hauptverkehrsstraße, an der mehr und mehr Autos geparkt werden, während sich gleichzeitig aber der fließende Verkehr in beiden Richtungen hindurchzwängen muß. Das wird natürlich immer gefährlicher. Wie voll mag es in unseren Häuptern *wirklich* sein – nach so vielen intensiv gelebten Jahren…

Soll ich dir mal was sagen –? Du *erleidest* das Altwerden immer noch. Du mußt dich damit versöhnen, dann wird es leichter. Warum aber – zum Kuckuck! – sollte jemand »lästiges altes Mensch« zu uns sagen dürfen, nur weil wir keine zwanzig mehr sind!? Wenn man – altgeworden – lästig oder langweilig ist, dann war man das auch früher; genau so, wie ein einsamer alter Mensch schon immer ein Eigenbrötler war. Er hat es nie fertiggebracht, sich anderen gegenüber zu öffnen. –

Und ich will dir noch etwas sagen: Ich glaube, daß wir alle eine bestimmte Aufgabe haben. Warum werden wir heutzutage so viel älter als früher? Das Durchschnittsalter der Frau erreicht schon jetzt achtundsiebzig, und im letzten Lebensabschnitt sind die Frauen in der Überzahl. Es gibt – um ein großes Wort zu benutzen – eine Art kosmischer Bestimmung. Könnte es nicht sein, daß die Menschheit Teil eines stets sich ausweitenden Alls wäre? Sind wir (die Alten) – immer noch zunehmend an Zahl und ausgestattet mit unserer langen Lebenserfahrung sowie der Einsicht in die Relativität aller Dinge – dazu ausersehen, das Gleichgewicht zu bewahren in einer Gemeinschaft, die aus den Fugen zu geraten droht?

Mit »älter werden als früher« meine ich natürlich das gute, menschenwürdige Altern, sowohl körperlich wie geistig. Aber das hat man nicht selbst in der Hand – man kann nur das Seine dazu tun: im Training bleiben, seine grauen Zellen beschäftigen, auch wenn man nicht immer Lust dazu hat. Ich habe mir selbst auferlegt, mich erst dann in meinen gemütlichen Ohrenbackensessel zu verkriechen und zu meinem *Vergnügen* zu lesen, wenn ich meine »Kopfarbeit« getan habe. 1969 hatte ich für unsere Zeitung einmal eine Buchbesprechung zu machen; der Titel lautete ›Nie zu alt, um jung zu sein‹, und geschrieben hat es ein Deutscher namens Dr. Krutof. Eine Passage darin hat mich sehr beeindruckt: »Sich geistig zu beschäftigen, ist das beste Mittel gegen das Altern. Beginnen Sie – sobald Sie nicht mehr im Berufsleben stehen – eine Fremdsprache zu erlernen. Das Gehirn braucht Beanspruchung – begnügen Sie sich also nicht damit, passiv zu lesen oder vor dem Bildschirm zu sitzen, sondern benutzen Sie aktiv Ihren Kopf; und halten Sie den Kontakt zu Geistesverwandten aufrecht!« Nun, ich glaube, daß wir beide all das praktizieren – auch letzteres.

Und um an diesen Satz anzuknüpfen: In dem kleinen Laden, in dem ich regelmäßig einkaufe, halte ich mit der Inhaberin meistens ein Schwätzchen. Letzthin kam sie darauf zu sprechen, daß ich bereits achtzig sei. Für sie – sagte sie – sei es ungeheuer ermutigend, daß Dinge wie Radfahren, Einkaufen oder auch nur ganz normal seine Arbeit zu verrichten in diesem Alter noch möglich seien. Mein Herz tat einen freudigen Hüpfer – was sich (nach *deiner* Auffassung) ja eigentlich nicht gehört...

Deine Ann

Liebe Ann – Fehlschluß! Fehl*schlüsse*!!

Ich will doch nicht zum Geriater, damit er etwas *gegen* mein Alter tut! Aber genau so verstehen es meine Ärzte auch. Was ich möchte, ist über das Altwerden und Altsein *reden*!

Es gibt Abbauerscheinungen (auch körperliche), gegen die man etwas unternehmen kann, aber es gibt natürlich auch Dinge, die man einfach annehmen muß. Ich habe eine große Bereitschaft, mich dem Unabdingbaren zu fügen – aber nur, wenn es wirklich Sinn hat. Ich fände es im übrigen auch normal, wenn es mehr Kontakt zwischen nicht-kranken alten Menschen und Fachärzten gäbe, die sich auf das Alter spezialisiert haben. Selbst sie wissen ja zu wenig darüber – es hat noch nie eine Gesellschaft gegeben, in der die Alten einen so großen Raum eingenommen haben wie jetzt! Und auch Ärzte brauchen Informationen.

Aber Geriater sind wirklich nicht leicht aufzuspüren – es gibt ihrer zu wenig, und die wenigen scheinen sich hauptsächlich in Altenheimen aufzuhalten. Hier an meinem Wohnort konnte ich jedenfalls keine einzige Adresse ausfindig machen.

Punkt zwei: Was für ein abscheuliches Dasein hätte ich, wenn ich jetzt noch nicht mit meinem Altsein versöhnt wäre! Schon *vor* meinem fünfzigsten Geburtstag wurde ich aus allen Ecken heraus

»Oooma!« gerufen (warum hört sich das – *laut* gerufen – eigentlich wie »Oo-uuma!« an –?)*, und jemand, der meine Nummer wegen einer Auftragsarbeit anrief, bekam zu hören (ich selbst war nicht daheim): »… hier die Wohnung von Oma Swildens …«

Damit fing es an. Und ist man einmal zum Großmuttersymbol avanciert, denkt man nicht mehr daran, daß man eigentlich noch jung ist.

Aber natürlich ist Alter mehr als ein Begriff. Der Prozeß weitet sich aus – immer von neuem wird einem etwas abgenommen, von dem man glaubte, daß es ein unverzichtbarer Teil des eigenen Ichs sei; und ich bin nicht so überheblich zu behaupten, daß ich mich auch *damit* abgefunden hätte.

Umfang und Schwere der Einbußen sind fließend: Schmerz, großer Schmerz, erneuter Schmerz. Müdigkeit, Erschöpfung. Vereinzelte Dinge, die einem nicht mehr gelingen – und auf einmal *vieles*, was nicht mehr geht. Vereinsamung, Entfremdung.

Aber das war es wahrscheinlich nicht, was du meintest. Langsam gewinne ich den Eindruck, daß du tatsächlich glaubst, ich wolle nicht alt sein.

Punkt drei: Deine Idee, ältere Menschen könnten dazu ausersehen sein, das Gleichgewicht einer Gemeinschaft zu bewahren.

* auf Niederländisch hört es sich tatsächlich so an!

Was mich betrifft, so bin ich viel eher geneigt, das Gegenteil anzunehmen. Vorläufig betrachte ich die zunehmende Zahl von Älteren innerhalb einer normalen Bevölkerungsstruktur als *Störung* des Gleichgewichts. Als Ältere müßten wir uns – um aus dem Manko einen Gewinn zu machen und die unabwendbar auftauchenden Probleme zu entschärfen – allerhand einfallen lassen.

Aber entwickle du nur deine Idee getrost weiter – vielleicht laufe ich ja eines Tages doch noch mit fliegenden Fahnen zu dir über!!

Du solltest dich auch ruhig darüber freuen, daß jemand dich zum Vorbild nimmt. Ich hatte etwas anderes gemeint: Man sollte sich nicht geschmeichelt fühlen, wenn jemand behauptet, man sähe jünger aus, als man es wirklich ist. In solcher Form wird das Kompliment nämlich *kein* Pluspunkt für das Alter – es würde ja bedeuten, daß wir gar nicht als alt zu erkennen wären!

Und was ich schließlich mit der Emanzipation in Verbindung mit »vervelend oud mens« meine: Ich ärgere mich weidlich über den Eiertanz, den Unbeteiligte um das Wort »alt« herum vollführen. Früher war es der Teufel, über den man nicht zu sprechen wagte (beliebtes Synonym: »Gottseibeiuns«), und später waren es die gefürchteten Krankheiten; man nannte sie nur bei den Anfangsbuchstaben (Tbc zum Beispiel, und als jüngstes A.I.D.S) – und daran muß ich bei den verschiedenen Umschreibungen für »alt« immer denken. Warum spricht man es nicht einfach aus – »alt«? Es wäre die einzige Möglichkeit, das Alter zu emanzipieren und alte Leute in der Gemeinschaft als *das* gelten zu lassen, was sie sind: Menschen. Dann würde ein ärgerlich ausgesprochenes »vervelend oud mens« auf dem gleichen Niveau landen wie »vervelende jongen« (lästige Blagen), das keinen nennenswerten Nachhall hinterläßt. Wenn man einer Diskriminierung die Bedeutsamkeit nimmt (was durch die Anerkennung des Wörtchens »alt« zu erreichen wäre), verfällt sie der Bedeutungslosigkeit. Und was nicht mehr beleidigen kann, wird schließlich auch als Schimpfwort uninteressant.

Das ist es, was ich zu sagen versucht habe.

Noch eben zurück zur Alzheimerschen Krankheit, die ja etwas anderes ist als Altersschwachsinn. Soviel ich weiß, kann man etwas dagegen tun; in jedem Falle aber wäre es der Mühe wert, einen Geriater zu konsultieren.

Es bleiben die Fälle echter Senilität. Es ist ein grausames Leiden, weil die Betroffenen oft genug selber erkennen, daß etwas mit ihnen nicht stimmt. Bei meinem letzten Krankenhausaufenthalt lag ich neben einer Frau, die sich total von der Welt abgekoppelt fühlte. Wie traurig es aber auch war – machmal mußte ich doch lachen. Einmal war sie davon überzeugt, daß sie mich aus Indien kenne, und sofort danach entschuldigte sie sich für die Mühe, die sie mir (vermeintlich) machte. Sie dachte, ich sei die Stationsvorsteherin und sie selbst sei, während sie mich besuchte, krank geworden.

Weißt du, ich finde, daß ausgerechnet die Umgebung einen *nicht* beruhigen kann. Sicher kenne ich alle gängigen Argumente, die *dafür* sprechen sollen – »... hab keine Angst, du bist doch noch so wach – so intelligent« (oder was auch immer) ... Nichts als faule Ausreden, die obendrein einen bestehenden Kontakt mit bestimmten Menschen zum Gemeinplatz degradieren; man bedient sich billiger Trostworte und nimmt sich gar nicht die Mühe, über den *wirklichen* Zusammenhang nachzudenken.

Wir sollten in unseren Briefen auf keinen Fall den Eindruck erwecken, als sei »alles bestens auf dieser besten aller Welten« – wie Voltaire es so hübsch sarkastisch umschrieben hat. Altwerden ist – wie das Leben überhaupt – ein Risiko. Mit diesem Risiko müssen und können wir leben. Manchmal ist es einfach – und manchmal ist es wahnsinnig schwer.

Deine immer noch mit Zweifeln kämpfende
Taube

Liebe Taube –

den ersten Fehlschluß in unseren Briefen kann ich sofort zurechtrücken: Ich denke keineswegs, du wolltest nicht alt werden – aber du sagst selbst, daß du noch nicht *ganz* damit versöhnt bist. Nun, als alter Mensch wird man das wohl auch nie sein. Es bleibt – manchmal sich mühsam fortschleppend von einem zum anderen Tag – ein Kampf.

Ja, auch von mir aus dürfte jeder »altes Mensch« sagen anstatt des vorsichtigen und vor allem nicht (?) kränkenden »Betagte« – ich sehe nur nicht ein, warum *vervelend* davorstehen sollte. Oder bist du der Ansicht, daß es in der Gesellschaft ebenso viele »vervelende« alte Leute gibt wie »vervelende jongen« (freche Blagen)? Nun ja, manchmal sind wir langweilig, unangenehm, zänkisch oder rechthaberisch – aber sind andere das nicht auch?

Ein weiterer Punkt: Du siehst in der wachsenden Zahl alter Menschen eine Störung im Gleichgewicht der Bevölkerungsstruktur. Dieses Gleichgewicht *ist* doch längst zerstört! Die Sterblichkeitsrate von männlichen Säuglingen ist in den letzten vierzig Jahren stark zurückgegangen, so daß die Bevölkerung unseres Landes jetzt alljährlich um mehr Jungen als Mädchen zunimmt. Zurückzuführen ist es sicher auf den wachsenden Wohlstand, wodurch sich ja auch die hygienischen Verhältnisse gebessert haben – viel gravierender als in manchem anderen Land. Schon jetzt ist der Überschuß an heiratsfähigen Männern mit etwa dreißigtausend zu beziffern. Zuviel junge Männer und zuviel alte Frauen. Man sieht ja auch in den Pflegeheimen statt der Krankenschwestern immer mehr männliches Personal. Wo soll das noch hinführen!

Eigentlich wollte ich dir aber etwas über meinen kurzen Ferienaufhalt an der See erzählen – über meine geliebte Watteninsel, wo ich mit derselben Sportskameradin war wie schon in früheren Jahren. Es wird immer schwieriger, eine Gleichaltrige zu finden, die meine Leidenschaft für stundenlange Wanderungen entlang der Flutlinie teilt und die, wenn es nicht allzu stürmisch ist, sich auch weiter ins Wasser hineinwagt und keinen zwingenden Bedarf an einem Mittagsschläfchen hat.

Aber es liegt doch mehr Ungemach auf der Lauer, als unserem Alter zuträglich ist. Ich zog mir eine Blessur am Fuß zu, und der Wind blies mir etwas ins Auge. Gottlob hatten wir – durch Erfahrung klug geworden – alles mögliche bei uns: Arnikasalbe für die Knochen sowie Bandagen und Augentropfen. Die Reisevorbereitungen werden durch all die zu bedenkenden Pillen, Pflaster, Fläschchen und elastischen Binden natürlich immer komplizierter. Im Hotel waren wir leider wieder einmal die ältesten.

Eines Tages saßen wir beim Lunch im Speiseraum, der zu dieser Zeit immer ziemlich leer war. Vom Nebentisch gesellte sich ein kleines Mädchen zu uns; es musterte mich von oben bis unten und wies mit dem Fingerchen auf meinen Hals: »Was hast du da?«

Ich dachte, sie habe meine philippinische Muschelschnur im Visier. »Muscheln«, sagte ich, »das gehört zur See.« Aber es war etwas anderes, was sie neugierig gemacht hatte.

»Warum hast du da ein Grübchen?«

Die klugen Kinderaugen hatten zielsicher die schwächste Stelle des Alters entdeckt, die ich immer unter irgendeinem Halsschmuck zu verbergen suche.

»Ja, warum? Weil ich alt bin ...«

Die Mutter tadelte ihr Kind nicht – Gott sei Dank.

»Sie plappern einfach alles heraus«, sagte sie entschuldigend.

»Natürlich«, rief ich herzlich – »nur zu! Sie wollen eben alles untersuchen ...«

Ich mußte an meine alten Tanten denken – an ihre enganliegenden, perlenbestickten Samtbändchen um den welken Hals... »Katzenbändchen«, nannten wir sie, voller Neugier, doch ahnungslos über ihren Zweck: Sie hatten das »Kühlchen« unsichtbar zu machen.

Weißt du, Taube, was mir aufgefallen ist? Daß

ich mich in diesem Jahr uralt fühlte – mit all dem jungen Volk um mich her, von der Sonne gebraten wie die Hühner aus Max und Moritz und in farbigen, halblangen Hosen … Und ein bißchen Wehmut, daß ich selber solche Sachen nicht mehr tragen kann, war auch dabei.

Man fängt an, sich überflüssig zu fühlen. Als wir jung waren, war die Strandkleidung langweilig – ein dicker weißer Pullover war schon der Gipfel der Extravaganz, weißt du noch? Nichts von all der spielerischen Phantasie, die jetzt alles so heiter macht.

Wirklich, man kann sich von einem zum anderen Tag ganz unterschiedlich fühlen – einmal nimmt man die Dinge so, wie sie sind, und genießt sie ohne Wenn und Aber – und dann wieder gibt es Tage, an denen alles an einem vorbeigleitet, ohne die geringste Spur oder Emotion zu hinterlassen.

Früher konnte ich mich gleichsam hineinstürzen in die Seligkeit der »endlosen, alten grauen See«, wie Vasalis es beschreibt – in das Wandern über »den Strand, festgefügt und glatt«, in die salzige Luft, die einem die Lungen füllt, und in den unendlichen Horizont …

Damals war ich viel gelassener, wenn die Zeit um war und ich mich wieder einmal trennen mußte.

Ann

p. s.: Du glaubst nicht daran, daß die vielen alten Menschen noch eine Aufgabe hätten. Nun, ich erfuhr kürzlich vom Bestehen einer Art »network«, das sich WOUW (Wijzer Ouder Worden)* nennt – von Spöttern aber flugs in »Wijze Oude Wijven«** umbenannt wurde. Demnächst mehr darüber!

* Vernünftiger (klüger) alt werden
** Weise alte Weiber

Liebe Ann –

ich glaube es nicht nur, sondern ich bin sogar davon überzeugt, daß alte Menschen noch eine Aufgabe haben. Das erschöpft sich doch nie. Ich frage mich nur, ob wir, die es angeht, das auch entsprechend wahrnehmen und umzusetzen versuchen. Natürlich sei jedem Menschen gegönnt, es gut und gemütlich zu haben, aber kürzlich habe ich mich doch über eine Bekannte geärgert, die mir des langen und breiten erzählte, wie sie den ganzen Sommer damit verbracht hatte, es sich gutgehen zu lassen – »… eine Woche hier, ein Besuch dort, eine Reise nur so –« Vielleicht habe ich sie dabei ein wenig befremdet angeschaut, denn plötzlich rief sie herausfordernd: »Hab' ich dazu etwa kein Recht? Habe ich nicht lange genug dafür gearbeitet –?«

Ein Argument, das mir Übelkeit verursacht, weil es im Prinzip so ungerechtfertigt ist.

Es gibt unzählige Menschen, die – obwohl sie ihr Leben lang hart gearbeitet haben – zum Schluß dennoch nicht wissen, wie sie zurechtkommen sollen. Frauen zum Beispiel können lebenslang geschuftet haben, aber weil sie nicht lohnabhängig und somit nicht versichert waren, bekommen sie nicht mehr an Unterstützung als den Mindestsatz der Sozialhilfe. Man braucht ja nur an sogenannte »Aushilfsmütter« zu denken.

Mit der Bemerkung »Ich habe ein Recht darauf« wird ein Werturteil gefällt – positiv für den, der es für sich selbst reklamiert – negativ für die, die nicht auf dieses »Recht« pochen können.

Hinzu kommt, daß man es heutzutage als Vorrecht betrachten muß, überhaupt Arbeit zu haben (bezahlte – *nota bene*). Sowohl die Arbeitslosigkeit wie auch die Arbeitsuntauglichkeit sind Gründe, aus denen in unserem Land ein Beihilfegesetz geschaffen worden ist; zu Recht haben wir beschlossen, daß jeder Niederländer Anspruch auf ein menschenwürdiges Dasein habe. Wenn aber dann einer sagt: »Ich habe hart gearbeitet und besitze deshalb das Recht auf *Wohlstand*«, dann erschlägt man damit die gute Absicht des Gesetzgebers und wertet die Beihilfezahlungen zum Almosen ab.

Vielleicht bist du der Meinung, ich widerspräche mir damit selbst, denn erst rede ich davon, daß längst nicht für jeden Arbeit da ist – und im gleichen Atemzug propagiere ich, daß jedem eine Aufgabe zufalle. Ich glaube, die Schwierigkeit liegt darin, daß wir die Arbeit (welcher Art auch immer), die getan wird oder getan werden müßte, nach Finanzierbarkeit und Unfinanzierbarkeit zu trennen gezwungen sind. Und deshalb leben wir mit einer astronomischen Zahl von Arbeitslosen in einer besonders schlecht versorgten Gesellschaft. Alle möglichen notwendigen Dienstleistungen bleiben liegen, ohne daß sich jemand dafür verantwortlich fühlt; sie werden einfach unter den Teppich gefegt. Es werden täglich Subventionen rückgängig gemacht, und mit ihrem Verschwinden wird jeweils auch ein Stück administrativer Fürsorgepflicht unsichtbar, ohne dessen Erfüllung es eigentlich gar nicht geht.

Und für meine Begriffe liegt auch in den unaufhörlich wachsenden Urlaubszeiten – zum Teil noch aufgefüllt durch Arbeitszeitverkürzungen (ATV-Tage) – sowie in dem dadurch bedingten zunehmenden Chaos etwas Widersinniges. Wir gehören zu denjenigen, die darunter leiden oder zu leiden haben werden, aber gleichzeitig sind wir es, die sich dafür einsetzen müssen, daß sich die Dinge ändern. Ich hoffe, daß uns dies mit der Zeit gelingen wird.

Doch jetzt zu deinen Ferien an der See! Du bist mir ein veritables Prachtexemplar von einer Achtzigjährigen! Erst kürzlich hast du dich darüber beklagt, daß dir die Entfernungen zwischen Wohnstube, Küche und Schlafzimmer immer größer zu werden scheinen, und ich dachte schon mitleidig: »Ach herrje, jetzt beginnt sie die Last der Jahre eben doch zu spüren…«, und dann präsentierst du mir eine Geschichte über stundenlanges Herumstromern am Strand. Wie geht so was? Wo holst du die Weggefährtin her? In meiner Umgebung würde ich todsicher keine solche finden, und ich selber käme schon gar nicht dafür in Betracht.

Dennoch glaube ich, daß du sehr vernünftig handelst, wenn du dich in Bewegung hältst. Wenn man sich auch nur ein bißchen nachgibt, geht die Flexibilität rasch verloren.

Ich sehe dich im Geiste noch vor zwei Jahren die Burg von Massada hinanklettern. Ich blieb unten – mit Fußknöcheln, die von der Hitze zu Elefantenmaßen aufgequollen waren, und abgeschreckt durch die Fama, daß der Abstieg über ungeebnete Wege führe und sehr gefährlich sei.

Heleen

Liebe Taube,

ich habe gelesen, innerhalb der Gruppe »alte Menschen« (die doch gemeinhin als abgeschrieben gelten) sei eine reiche Quelle unverbrauchter Energie und Erfahrung zu finden. Das hört sich ganz anders an als die These, wir Alten – zunehmend an Zahl und Last – seien eine Bedrohung für die Zukunft. Jaja, unsere Gesellschaft ist ein sehr undurchsichtiges Gebilde, und natürlich spielt das Geld, wovon der eine immer mehr will und der andere zu wenig bekommt, die geschickt verborgene Hauptrolle.

Die Computer laufen heiß mit ihren Berechnungen für das Jahr Zweitausend – mit der Heerschar von Greisen, die vom immer mehr zusammenschmelzenden Nachwuchs aufgefangen werden muß. Im ›Senior‹, der Zeitschrift für das Altenwerk in den Niederlanden und in Flandern, stand ein Artikel, in dem klar und einleuchtend das durch die vielen alten Menschen entstandene Ungleichgewicht zur Sprache kommt, über das wir uns in unseren letzten Briefen unterhalten haben.

Ich möchte kurz auf diesen Bericht eingehen. Zwischen den aufgelisteten Prozentsätzen und Orientierungszahlen zu dem, was das Alter demnächst kosten wird, fanden sich auch beruhigende Aspekte eines Professors aus Groningen, der sich wegen des vermeintlich gestörten Gleichgewichts nicht aus der Ruhe bringen läßt. Er hält all den pessimistischen Rechenkünstlern in Sachen »sündhaft teure Zukunft« die Tatsache entgegen, daß Hochrechnungen nur einen hypothetischen Wert haben und sich oft genug ganz anders entwickeln, als es die Zahlen wollen. Außerdem – so führt er aus – würden die Alten der Zukunft, *der* Generation also, die jetzt die ersten grauen Haare bei sich selbst entdeckt, ungleich viel mündiger und selbstbewußter sein als die gegenwärtigen. Stimmt also einigermaßen mit dem überein, was wir beide uns wechselseitig als wünschenswert vorgetragen haben.

Man sieht die Mündigkeit bereits auf dem Vormarsch. Du hast ja sicher auch das Zeitungsfoto mit den beiden alten Knaben gesehen (dreiundsiebzig und dreiundachtzig Jahre), die, weil nach ihrer Meinung die örtliche Behörde für Altenwohnungen aus lauter Schlafmützen besteht, selbst die Initiative ergriffen und ein Haus besetzt haben.

Aber unsere Generationsgenossen sind längst nicht alle so unternehmungslustig. Auf der gleichen Zeitungsseite fand ich auch eine Meldung über die zunehmenden Fälle von Handtaschenraub bei alten »Damen, die sich wegen ihrer Hilflosigkeit nicht wehren können –«. Den hilflosen alten Damen ist anscheinend noch nicht aufgegangen, daß sie sich in dieser aggressiven Gesellschaft selber schützen müssen, daß sie ihre Handtasche nicht am Arm baumeln lassen, sondern sie entweder fest in die Achselhöhle klemmen oder – um den Hals gehängt – unter der Jacke tragen sollten. Wenn ich einkaufen gehe, hängt meine Scheckkarte brav an einer Kordel um meinen Hals.

Daß die Entwicklung des Bejahrtenproblems im Fluß ist, erleben wir ja selber. Die vor dreißig Jahren wie Pilze aus dem Boden geschossenen Altenheime haben ihre Konjunktur hinter sich. Das Abschieben oder in den Zwangsruhestand-Versetzen von Omas scheint doch nicht der Weisheit letzter Schluß gewesen zu sein. Und wieviel Alternde haben sich nicht viel zu früh in die Heime zurückgezogen! Kurz nachdem ich pensioniert worden bin, fragte mich jemand: »Hast du dich schon in einem Altenheim vormerken lassen –?« Es entsprach ganz dem damaligen Tenor: »... jetzt ist noch Zeit, ein bißchen frei herumzufliegen, aber bemüh dich schon mal um einen schönen Käfig mit Futternapf und Sitzstange, damit du für den Fall des Falles sofort irgendwo unterkriechen kannst ...« Adieu eigene Phantasie, Kreativität, Durchsetzungskraft, adieu Risikobereitschaft und Vertrauen auf deine eigene Umgebung. Ich würde das nicht so kraß ausdrücken, wenn ich es nicht erst kürzlich bei zwei Neunzigjährigen mitgemacht hätte.

Der neueste Trend lautet: So lange wie möglich

in der eigenen Wohnung bleiben! Was für die meisten wohl auch der angenehmste Zustand während der letzten Lebensjahre wäre. Allerdings müßte man mit Beistand von außen her rechnen können – in welcher Form auch immer: durch bezahlte Hilfe, durch Unterstützung oder auf freiwilliger Basis; und mit letzterem meine ich die mitfühlenden Menschen mit dem Herzen auf dem rechten Fleck.

Je älter man wird, um so mehr begreift man, was für eine Wohltat eine gute Haushaltshilfe sein kann – eine, die einem jahrelang zur Hand gegangen ist und mitgeholfen hat, sein kleines Reich in Ordnung zu halten. Bei Altersgenossinnen stelle ich immer wieder fest, wieviel Unterstützung sie an einer solchen wochentäglichen Hausgenossin haben, mit der sie nicht nur Staubsaugen und Bohnern, sondern oft genug auch Liebe und Leid geteilt haben. Du hast mich oft genug beneidet, weil ich seit zwanzig Jahren selber einen solchen Schatz besitze.

Ich weiß, daß du ein paar Monate lang einen polnischen Studenten als »Zugehfrau« hattest, aber anstatt ihn Fenster putzen zu lassen, hast *du* ihm Spiegeleier gebraten, und *er* brachte dir Polnisch bei; und Staub wie Spinnen hatten herrliche Zeiten.

Hier gibt es eine ganz tolle Einrichtung – eine Freiwilligenhilfe, die sich »Gern geschehn!« nennt.

Sie vermittelt Kontaktadressen zwischen Menschen, die sich für kleinere Handreichungen bei Älteren und Alten zur Verfügung stellen und letzteren selbst, wenn sie etwas zu reparieren oder sonstwie in Ordnung zu bringen haben – angefangen etwa bei kleinen Arbeiten im Garten oder der Bitte, sich über eine defekte alte Lampe zu erbarmen. Zu der Neunzigjährigen, von der ich dir bereits erzählte, stellte sich auf ihre Anfrage (… könnte wohl jemand mal nach meiner kaputten Übergardine sehen?) eine beherzte junge Frau ein und brachte die ganze Angelegenheit innerhalb einer guten Stunde in Ordnung. Keine Bezahlung – höchstens Unkostenvergütung.

Ann

p. s.: Wir Alten müssen uns immer vorrechnen lassen, wie teuer wir sind. Ob wohl irgend jemand darüber nachdenkt, was der sogenannte Jugendvandalismus kostet –? Am Sonntagmorgen betrat ich den Hauptbahnhof und bekam gerade mit, wie die Samstagnacht-Schweinerei-Macher den kompletten Inhalt einer Fotokabine zertrümmerten und herumstreuten. Ich war außer mir vor ohnmächtigem Zorn. Wer rechnet mal zusammen, wie viele Millionen uns diese Vernichtungswut bereits gekostet hat?

Liebe Ann –

für die Handtaschen müssen wir uns unbedingt sofort eine andere Lösung einfallen lassen. Überall lauern kriminelle Elemente auf vorzugsweise wehrlose alte Damen, die – mit dem begehrenswerten Objekt an gut sichtbarer Stelle – die Straßen entlangschlendern. Natürlich könnte man vorschlagen, seine Wertgegenstände in einem sogenannten Brustbeutel unter der Oberbekleidung zu tragen, aber das ist alles andere als ideal – glaub mir! Nachdem mir eines Tages mein Portemonnaie gestohlen wurde und ich kurz danach auf der Schwelle meiner offenen Haustür unter Bedrohung von Revolver und Messer beraubt worden bin, habe ich zwei Tage lang ein solches Ding um den Hals getragen. Aber selbst der noch frisch im Gedächtnis haftende Schreck vermochte das nervöse Gefummele, wenn ich Geld heraussuchen mußte, nicht aufzuwiegen.

Im allgemeinen mag ich das Gejammer über die zunehmende Unsicherheit auf den Straßen überhaupt nicht. Wir machen uns gegenseitig bange – immer mehr Menschen wagen sich nicht mehr aus dem Haus, und das hat die ganz natürliche Folge, daß es immer gefährlicher wird. Je leerer die Straßen – um so gefahrvoller sind sie. Ich denke immer noch an das dreizehnjährige Kind, das von zu Hause ausgerissen war und das ich abends um halb elf in der Nähe des Rotlichtviertels unter meine Fittiche nehmen konnte. Wenn ich sie nicht gefunden und mitgenommen hätte, wäre irgendwann bestimmt ein anderer »Hilfswilliger« aufgetaucht – jemand, der sich die Unwissenheit des Mädchens zunutze gemacht hätte. Der Sicherheit ist am besten dadurch gedient, daß sich viele Menschen auf der Straße befinden.

Auch die Stadtverwaltung von Amsterdam fängt an zu begreifen, daß leere Straßen an sich schon eine Gefahr bedeuten; man arbeitet an einem »Stegeplan« – einem Projekt zur Erhellung der unheimlichen dunklen Gassen, wohl in der Hoffnung, uns auf diese Weise über unsere Angst hinwegzuhelfen und uns wieder auf die Straße zu locken. Nun, ich halte nicht viel davon – es wird wenig nützen, wenn nicht gleichzeitig mehr Polizeipatrouillen für die Straßen eingesetzt werden. Für meine Begriffe kann man auch auf hellerleuchteter, doch einsamer Straße vortrefflich beraubt werden; vielleicht finden es die Straßenräuber sogar prima, ihre Arbeit bei ordentlicher Beleuchtung tun zu können – es würde die Gefahr, eine Brieftasche oder Geldbörse zu übersehen, erheblich vermindern.

Was aber die Handtaschen angeht: Ich möchte wissen, warum sie *per Tradition* der Aufbewahrungsort für alles zu sein haben, was eine Frau außer Hause an Wertgegenständen benötigt: Geld, Schecks, Ausweiskärtchen, Schlüssel, Brille (vergiß vor allem die Brille nicht – obwohl der Räuber selbst natürlich nichts davon hat!), Führerschein, Taschenkalender mit oftmals über Jahre gesammelten Adressen und Notizen –. Mein Vater trug seine Besitztümer seinerzeit in den Taschen einer schlotterigen Jacke (die damals Mode waren) und in den Seitentaschen einer weiten Hose. Warum halten wir uns eigentlich nicht an dieses Vorbild und tragen weite Röcke mit (für uns selbst) gut erreichbaren Taschen? Dazu ein Handtäschchen (das wir selbstverständlich nicht *ganz* aufgeben können) für Kosmetika und Kugelschreiber.

Natürlich würde sich eine solche Neuerung rasch genug in der »Szene« herumsprechen; die Gefahr körperlicher Angriffe würde sich wahrscheinlich vergrößern, aber nicht einmal die jungen, blitzschnellen Profis könnten ihr Geschäft dann mit einem einzigen Handgriff erledigen; und die Erfolge bei Raub und Taschendiebstahl beruhen ja vornehmlich auf Überraschung und Schnelligkeit.

Es ist auf jeden Fall eine Frage der Kreativität: Nicht immer über ausgetretene Pfade trotten, sondern eigene Verhaltensweisen entwickeln. Und wachsam sein!

p. s.: Dein Professor kann mich überhaupt nicht beruhigen. Es bedürfte nicht einmal der Zensur: Als Journalist weiß man doch genau, daß Artikel mit beunruhigenden Fakten »flankiert« werden müssen. Wenn sie nicht aus schierer Panikmache verbreitet werden, bedient man sich einer Gegenstimme – einer vertrauenerweckenden Person mit Sachverstand, die die hochgehenden Wogen zu glätten vermag. Dein Professor erklärt lediglich, daß sich die Dinge oftmals anders entwickeln als von der Prognose vorhergesagt. Aber wir brauchen keine Entwicklung abzuwarten. Es lebt bereits jetzt eine große Anzahl von alten Menschen innerhalb einer Gesellschaft, die sparen muß. Einsparungen sind immer unpopulär, weshalb uns die Regierung auch mit allerlei »Redensarten«* zu besänftigen versucht. Ich weiß, daß gespart werden muß, aber ich will mich nicht mit menschenfreundlichen Traktätchen aus dem Munde knochenharter Geschäftemacher für dumm verkaufen lassen.

Heleen

* »Redensarten« ist eines der Wörter (zu denen auch »überhaupt« gehört), die buchstabengetreu in die niederländische Sprache integriert worden sind. Eine sinngleiche Übersetzung ins Niederländische gibt es nicht.

Ja, liebe Taube –

kreatives Leben, und zwar auf jedem Gebiet: Darin
stimme ich dir zu. Also her mit dem raffinierten
weiten Taschenrock (als Tages- und Abendgarde-
robe bitte!) zum Schaden der Wegelagerer – mit
herrlichen, unergründlichen Vertiefungen, wie sie
früher in der Schule unsere Handarbeitsschwester
hatte und aus der die überraschendsten Dinge zum
Vorschein kamen: außer dem Taschentuch ein
schwarzes Portefeuille aus Segeltuch (für Heiligen-
bildchen), Schere und Nadelkissen, eine hölzerne
Kastagnette, mit der sie uns morgens das Zeichen
zum Aufstehen klickte, eine Schachtel Streich-
hölzer für die Gaslampe des Klassenzimmers, ein
Bleistift mit Aluminiumkäppchen sowie Radier-
gummi und Notizblöckchen. Ach, die unbe-
schwerte Schulzeit von uns Achtzigjährigen …
   Wenn man abends noch in die Dunkelheit hinaus muß, kann man seine Zuflucht zu einem Taxi
nehmen; kommt man aber irgendwo mit der Bahn
an, muß man zunächst über den Bahnsteig und
meistens auch noch durch einen Tunnel, und je
später es ist, um so weniger Mitmenschen sind
unterwegs. Vor ein paar Tagen war ich zu einer
kleinen abendlichen Familienfeier im Süden des
Landes eingeladen. Mein stets hilfsbereiter Bruder
konnte mich leider nicht mit dem Wagen hinkut-

schieren, weil dieser sich in letzter Minute als defekt erwies.

Also fuhren wir mit dem Zug, in dem man ohnehin viel besser aufgehoben ist als in einem Auto auf überfüllter Straße. Es war einer dieser neuen blauen Waggons, in dem man niemandem gegenübersitzt und auf Wunsch Kaffee serviert bekommt. Als wir zurückfuhren, war es Nacht – wenn auch noch nicht der letzte Zug. Wir mußten in Utrecht (mit diesem gespenstischen Hoog Catharijne*) umsteigen, und als wir schließlich ankamen, schien der lange Gang über den leeren Bahnsteig und durch den Tunnel (in dem ich mir immer vorkomme wie in einer Falle) für uns zwei alte, nicht wehrhafte Menschen ziemlich bedroh-lich. – Nun, mein Bruder (du kennst ihn!) hat seine alte Schwester getreulich bis an die Haustür geleitet. Aber einen solchen Bruder hat man leider nicht immer zur Hand.

Die Niederländische Eisenbahn tut zwar allerhand für die Senioren, aber es müßte mehr Hilfe zur Beförderung des Reisegepäcks bereitstehen. Auch einen Rollenkoffer muß man die Bahnsteigtreppen hinaufschleppen. Für den zuständigen Minister ist

---

* Hoog Catharijne ist ein vornehmes Viertel unmittelbar hinter dem Bahnhof – abends aber wie ausgestorben und ein Tummelplatz für zwielichte Gestalten.

das natürlich kein Problem – er reist nicht mit dem Zug. Ich verstehe zwar, daß es nicht auf allen Bahnhöfen stufenlose Zugänge geben kann (sie brauchen eine endlos lange Auslaufstrecke), aber wieso es in einem Land mit siebenhunderttausend Arbeitslosen nirgendwo Kofferträger gibt (von mir aus als Halbtagsbeschäftigte), das ist mir ein Rätsel.

Du und ich – wir scheuen uns nicht, notfalls einen jungen Mann oder eine kräftige junge Frau um Hilfe zu bitten, die uns ja auch immer zuteil wird. Aber im vergangenen Jahr hörte ich von einer abscheulichen Begebenheit: Ein junger Mann bot einer alten, gehbehinderten Dame an, ihren Koffer zu tragen und ihn auch ins Abteil zu bringen. Im Augenblick, da sie ihren Koffer erleichtert absetzte, entriß er ihr die Handtasche und machte sich davon. Natürlich kein Grund, jedem zu mißtrauen, aber eine ernste Warnung vor zuviel Vertrauensseligkeit.

Weißt du übrigens, daß es auch auf den Schiffen im Wattenverkehr Rabatte für Rentner gibt? Aber du wirst es nicht glauben: Es gibt Passagiere, die – wenn sie beim Lösen des Fahrscheins darauf hingewiesen werden – regelrecht beleidigt sind! Soviel ich weiß, gibt auch die KLM Sonderrabatt, vorläufig allerdings nur für einzelne Städte in den USA. Behalt es im Auge – für deinen nächsten Flug. Hier in unserem Dorf haben sogar die Taxibetriebe

Sondertarife für Rentner, und ich habe den Eindruck, daß dies immer mehr auch anderswo Nachahmung findet. Man wird nicht einmal nach seinem Rentnerausweis gefragt – graues Haar und Falten im Gesicht scheinen Legitimation genug zu sein; wenn man viel mit dem Taxi fährt, kennen sie einen auch. Und *last – but not least*: Wir Alten stellen den Löwenanteil der Kundschaft!

Eine Freundin steuerte auch etwas zu diesem Thema bei (aus zweiter Hand allerdings, und ich mag es auch nicht so recht glauben): Ein paar ihrer Freundinnen hätten im Bahnhofsrestaurant von Baarn Kaffee und Kuchen verzehrt und beim Bezahlen die überraschende Botschaft vernommen, sie bekämen Seniorenrabatt.

Folgendes aber habe ich selbst erlebt – an einem Sonntag in Amsterdam, als ich mit meiner Freundin am Singel gegenüber dem »Centraalstation«* eine Tasse Kaffee trank. Wir waren beide deutlich als »alt« zu erkennen – vor allem sie mit ihrem wundervollen weißen Haar. Ein Herr mit fast kahlem Haupt rückte zu uns herüber und machte uns darauf aufmerksam, daß wir ein Zehn-Tassen-Ticket zum stark ermäßigten Preis von fl 1,60 anstatt fl 2,50 bekommen könnten. Na denn!

* Hauptbahnhof

Jetzt habe ich mich ein paarmal vertippt (wie kommt das bloß, daß wir nicht mehr fehlerlos tippen können? Es ist zum Auswachsen!), weil gerade meine junge Nichte hereinkommt – (soeben zwanzig geworden) – die ihr Geschenk bei mir vergessen hatte: eine wunderschöne Kette aus Jett, die noch von ihrer Großmutter stammt. Ich bin beim »Aufräumen«, und ihr konnte ich eine große Freude damit machen. Es kostet mich wirklich Kopfzerbrechen – diese Nachlaßverfügungen über Dinge, die mir ans Herz gewachsen sind. Ich möchte ja, daß sie in gute Hände kommen – damit diejenigen, die sie erben, auch Freude daran haben.

Ann

Liebe Ann –

heute habe ich mich sehr einsam gefühlt. Mir ist ganz plötzlich klargeworden, was das Altsein so bedrückend macht: Wir haben eine Dimension verloren – die Zukunft, und damit die Hoffnung, es könnte sich noch etwas ändern. Ich weiß jetzt, daß mir keine Zeit mehr bleibt, Probleme zu lösen. Das wiegt doppelt schwer, wenn es sich um die eigenen Kinder handelt. Als mein Mann spürte, daß er nur noch wenige Tage zu leben hatte, sagte er traurig: »Ich mache mir Sorgen um dich.« (Durch allerlei widrige Umstände war unsere finanzielle Situation in jener Zeit nicht eben rosig, das heißt: Ich würde nicht als gutversorgte Witwe zurückbleiben.) Ich versuchte ihn zu trösten – »Ach Lieber, ich bin so gewitzt!« Da lachte er: Ja, das bist du: gewitzt.«

Neben einem Haufen Ungeschicklichkeit verfüge ich tatsächlich auch über eine Portion Unternehmungsgeist, so daß ich nicht ausschließlich von der Rente abhängig bin. Aber meine Leistungsfähigkeit nimmt ab, und der Gedanke, daß meine Kinder mich unterstützen müßten, macht es nicht leichter. Ich erinnere mich an einen Freund, der mir eine Geschichte aus seiner Kindheit erzählte: wie seine Mutter fortwährend in unmögliche finanzielle Situationen hineinschlitterte, aus der ihre Angehörigen sie dann wieder auslösen mußten. Das ist eine von jenen Geschichten, die mir Alpträume verursachen. Ich hoffe inständig, daß mir so etwas nie passiert! Aber das alles hat nichts mit meiner Einsamkeit zu tun. Früher sagte man immer »Alte Bäume soll man nicht verpflanzen«, – was ich übertrieben fand. Der Mensch ist kein Baum. Man ist anpassungsfähig, und bis zu einem gewissen Grad kann man seine Verhaltensweisen auch mittels seines Verstandes regulieren. Dennoch: Wenn ich zurückblicke auf die vielen Umzüge, die ich habe »erleiden« müssen, kommt es mir doch vor, als habe ich zuviel an meinen Wurzeln herumgezerrt. Jedesmal, wenn ich mir ein eigenes Milieu aufgebaut hatte, zog ich wieder um und mußte von neuem anfangen. Seit vier Jahren wohne ich nun weder in Stadt noch Dorf, sondern in einer Siedlung – einem Konglomerat von jungen, motorisierten Familien, die für wesentliche Dinge wie Kurse, Theater oder Kino nach auswärts fahren. Tochter, Schwiegersohn und drei übermütige Winzlinge, die ich sehr liebe, wohnen in meiner Nähe – aber es wäre falsch, darin das Nonplusultra meines Daseins zu sehen; ich würde es – vorläufig jedenfalls – auch gar nicht können. Eigentlich wohne ich also in einem entlegenen Winkel, in dem mich nur selten jemand besucht. Noch habe ich zwar viel Energie – aber die muß ich gezielt einsetzen. Jetzt, da die neue

Wintersaison beginnt, würde ich mich am liebsten zu verschiedenen Kursen und Arbeitskreisen anmelden, aber es wäre ziemlich sinnlos, einen Lehrgang für Neugriechisch zu belegen – auch, wenn ich vor ein paar Jahren noch viel Freude daran hatte. Vier Wochen lang Nacht und Kälte getrotzt – und es würde mir wahrscheinlich wieder reichen. Außerdem muß ich ja auch Zeit für meine eigene Arbeit übrigbehalten.

Vielleicht hast du ja *doch* recht, und ich begreife *wirklich* nicht, daß ich alt bin ... Soeben kommt dein Brief. Was bist du doch für ein rastloser Geist! Es gibt bestimmt nicht viele Frauen deines Alters, die sich noch derart am Leben beteiligen.

Übrigens – und das wird dich wundern: Ich gehöre nicht zu den Leuten, die, wenn sie einen schweren Koffer tragen müssen, jemanden um Hilfe bitten – schon gar nicht junge Männer oder Frauen. Wenn überhaupt, dann schon lieber ein Wesen mittleren Lebensalters. Aber ich verkündige dir eine große Freude: Der Amsterdamer Hauptbahnhof verfügt seit kurzem wieder über Gepäckträger!

An die Aufteilung meiner Besitztümer denke ich nicht gern, ich habe nämlich viel zu früh damit angefangen. Einzelne Dinge habe ich für diesen oder jenen bestimmt, obwohl sie vorläufig noch in meiner Wohnung bleiben – anderes habe ich auch einfach verschenkt. Damit habe ich eine solche Verwirrung gestiftet, daß ich mich selbst nicht mehr auskenne (meinen Teetisch habe ich vermutlich drei verschiedenen Personen versprochen). Natürlich wird es höchste Zeit, daß ich Ordnung in meinen Nachlaß bringe, aber wenn man Kinder hat, geht das Erbgut auch ohne Testament in ihren Besitz über, und das ist schließlich die Hauptsache. Viel Kostbares besitze ich nicht. Als mir letzthin jemand erzählte, seine »Juwelen« seien ihm gestohlen worden, mußte ich unwillkürlich lachen. »Juwelen« – das ist für mich ein Ausdruck aus billigen Romanen; ich dachte, es hätte ein Witz sein sollen. Aber das sollte es keineswegs, es war bitterernst, und ich mußte mein Gesicht schleunigst in mitleidige Falten legen.

Jedenfalls sind Juwelen ein Problem, das mir immer erspart geblieben ist.

Deine »schmucklose« Taube

Übrigens: Mein Anfall von Schwermut ist verflogen. Ich mache mir jetzt eine Tasse Kaffee (obwohl ich meinem Hausarzt versprochen habe, den Kaffeegenuß einzuschränken) und esse ein Stück Kuchen (obgleich ich mir selber versprochen habe, zwei Kilo abzunehmen). Es sind die *kleinen* Freuden, die uns immer wieder mit dem Leben versöhnen – wie komisch sich das auch anhören mag.

Liebe Taube –

wie ist es möglich, daß ich mir erst jetzt – dafür allerdings um so schärfer – der Tatsache bewußt geworden bin, was für einen völlig anderen Lebenshintergrund man hat, wenn man aus einer *kleinen* Familie stammt! Daß du dich manchmal so einsam fühlst, kommt vielleicht auch daher, daß ich immer wieder von meinen Brüdern und Schwestern erzähle, die noch in so tröstlicher Anzahl am Leben sind. Wir hängen, alt- und älterwerdend, immer noch sehr aneinander. Es ist, als säßen wir alle zusammen um ein großes Feuer herum, daran man sich wieder und wieder wärmen kann. Wenn einem danach ist, hängt man sich ans Telefon und ist durch mehr als nur durch die Elektronik miteinander verbunden.

Dein Brief hat mich ins Herz getroffen; ich vergegenwärtige mir, wie grundlegend anders die Menschen aus einer Zweikinderehe jetzt im Leben stehen. Sie kennen nicht die Geborgenheit, von der viele Ältere, die aus großen Familien stammen, immer noch zehren.

Je mehr die uns zugemessene Zeit schwindet und uns der großen Schwelle näherbringt, um so drängender werden die Fragen: Wie? Wie lange noch? Wo? – Du solltest Vertrauen haben! Verlaß dich darauf, daß du, die immer für andere bereitsteht (ich habe nicht vergessen, wie du eines Tages aus der Sowjetunion zurückkamst: schlotternd vor Kälte, weil du alles Wärmende drübengelassen hattest!), nicht im Stich gelassen wirst. »Wie man in den Wald hineinruft – so schallt es heraus« – das stimmt auch in dieser zerrissenen Welt noch.

Du kennst mich, und du weißt, daß ich fest an die unsichtbare, doch allgegenwärtige Macht glaube, in deren Hand wir sind. Es ist der unbeirrbare, bekennende Glaube, was mich so beeindruckt bei jüdischen Schriftstellern wie Elie Wiesel und Isaac Bashevis Singer – sehr stark aber auch bei dem jüdischen Theologen Pinchas Lapide, den wir in einer TV-Sendung gesehen und gehört haben. Stell dir vor: Am Morgen nach der Sendung war in unserer Buchhandlung nichts mehr von ihm zu bekommen – die Leute liefen Sturm.

Laß mich eben einen Abschnitt aus seinem Buch ›Heil aus dem Judentum‹ zitieren:

»Gott ist für mich das allernächste Du, das ich mit ›Vater‹ ansprechen und dem ich mein Herz ausschütten kann – das mich im tiefsten Inneren glauben läßt, daß ich von einer höheren Macht getragen und geleitet werde, die mich der Liebe fähig macht und mich dem Glauben öffnet. Es ist die unglaubliche Geborgenheit in Gott – die völlig unlogische, doch felsenfeste Überzeugung, daß ich innerlich nicht allein bin, sondern in der Obhut dessen, der alles Elend des menschlichen Daseins erträglich macht und es mich überstehen läßt; und die mein Herz erfüllt mit unaussprechlicher Dankbarkeit.«

Dieser Mann besitzt innerhalb der jüdischen Religionsgemeinschaft – auf die unsere christliche gegründet ist – großes Ansehen. Wir Christen, die wir im Strudel der Neuerungen zu versanden drohen, könnten uns an seiner Begeisterung aufrichten; ich lese es immer wieder und lasse es tief in mich eindringen.

Doch nun zu den Juwelen! Nein – so was haben Menschen wie du und ich nicht – wir haben Schmuck. Ich muß zugeben, daß ich einen herrlichen Diamantring besitze. Ich bekam ihn von einer Kusine, mit der ich sechzig Jahre lang Liebe und Leid geteilt habe. Sie wußte, wie sehr ich den Ring immer wieder an ihrer Hand bewundert hatte, und als sie – weit über achtzig – aus ihrer Eigentumswohnung in ein Altenheim übersiedelte, schenkte sie ihn mir, einfach so.

»Ich gebe ihn dir schon jetzt«, sagte sie – »dann kann ich wenigstens noch sehen, wie du dich daran freust.«

Ich mußte an meine Mutter denken, die im kältesten Kriegswinter von einer Hausfreundin einen pelzgefütterten Mantel geschenkt bekam; ich sehe meine zerbrechliche kleine Mutter noch ihre Arme um die stämmige Spenderin legen, um sie zu herzen:

»Jetzt kann ich mich wenigstens noch dafür bedanken«, sagte sie, »wenn du ihn mir vererbt hättest, wär das nicht möglich gewesen …«

Ich selbst finde das Aufstellen einer Nachlaßverfügung recht beschwerlich – ich schlage mich immer noch damit herum. Als ich mich vor ein paar Jahren zu einer Reise nach Südfrankreich entschloß und an den mörderischen Verkehr auf der Autobahn dachte, habe ich ein Testament verfaßt. Eine unangenehme Sache, aber ich dachte mir: Es muß sein. Ich habe meine fünf Patenkinder aussuchen lassen, was sie würden haben wollen, und das Weitere habe ich so gut wie möglich aufgeteilt. Es ist ja auch wichtig, daß man es dem Erben nicht unnnötig schwer macht.

Ich glaube, es geht vielen so, daß sie sich vor dieser letzten Willensäußerung am liebsten drücken würden und es deshalb ständig vor sich herschieben; aber wenn man allein ist, muß man sich auch allein entscheiden. Ich habe mir die notwendigen Informationen besorgt und bin dabei auf eine Broschüre mit dem Titel ›Du kannst es doch nicht mitnehmen!‹ gestoßen; sie ist erschienen beim »Niederländischen Bund für Bejahrtenhilfe«.

Du hast noch Kinder – wogegen ich »ledig« bin, wie es früher so sinnig hieß. Mit großem Vergnügen las ich im Wochenblatt ›De Tijd‹, daß drei

Leiterinnen des ANBO (Allgemeiner Niederlän-
discher Verband für Ältere) – eine ehemalige
Kinderärztin und zwei Politikerinnen – ihren
Status als Nichtverheiratete mit »ungebunden«
(*loslopend*) bezeichnen. Wie kann ein derart enga-
gierter Mensch »loslopend« sein? Ein köstliches
»Understatement«* findet

deine »loslopende« Ann

* Untertreibung

Liebe Ann,

wäre das schön, wenn man ohne Medikamente auskommen könnte! Manche Leute tun so, als seien Medikamente ein Steckenpferd der Ärzte und eine Art Ausschweifung für die Patienten. Aber wartet nur, bis ihr selbst an die Reihe kommt!

Mein hoher Blutdruck peinigt mich schon seit Jahrzehnten. Ganz früher machte er mir nur vorübergehend zu schaffen, wenn ich zum Beispiel unter starkem Streß stand – aber dann ließ er auch wieder nach. Es fing erst richtig an, als ich meine schlimme Krankheit gut überstanden hatte. Ich meldete mich freudestrahlend bei meinem Hausarzt und teilte ihm mir, daß ich jetzt fünf Jahre lang nicht mehr zu Kontrolle zu kommen brauche, aber er sagte nur: »Gut. Dann werde ich jetzt Ihren Blutdruck messen.« Er war ein echter »Medizinmann«, und er hatte natürlich recht.

Ich war damals vierundvierzig, und der obere Wert zeigte mehr als 190; den Unterdruck (den wichtigeren) habe ich vergessen. Zwei Wochen lang nahm ich Beruhigungsmittel, und dann normalisierte es sich wieder. Ich gehöre leider nun mal zum nervösen Typus.

Ich will dich nicht langweilen mit den Einzelheiten darüber, warum die zeitweilige

Einnahme der Medikamente in eine permanente umgewandelt werden mußte, aber im Augenblick ist die Dosis ziemlich hoch, so daß der Blutdruck mit Mühe und Not akzeptabel bleibt.

In Gottesnamen – dann eben hoher Blutdruck. Aber er verursacht doch allerlei Beschwerden und ist auch gefährlich. Man darf es nicht einfach »drauf ankommen lassen«. Also muß ich mich mit den Medikamenten anfreunden – mich immer wieder damit versöhnen, mich fügen, mich abfinden. Und das Vertrackte ist, daß man die Tabletten zwar nur gegen Bluthochdruck nimmt – daß sie aber auch auf den Rest der »Konstruktion« starke Nebenwirkungen haben. Vor dem Frühstück zwei Betablocker – und die Energie, die gegenwärtig ohnehin nur langsam auf Touren kommt, fällt ins Bodenlose.

»Los!« ermuntere ich mich – »putz eben den Fußboden!«

»Bodenputzen … och, hat das nicht Zeit bis morgen …«, murrt das erschöpfte Ich – »es ist so kalt (so heiß, schon so spät, viel zu früh, gestern erst geputzt, wird sowieso wieder dreckig – ganz nach Belieben!).«

»Ob ich den Brief fertigschreibe –?« überlege ich laut. »Was – Brief … da muß ich erst noch drüber nachdenken –« brummt Ich – »hetz mich doch nicht so!«

»Du wolltest ihn doch heute noch abschicken!«

»Morgen.«

»Morgen mußt du zur Versammlung …«

Wieder das alte Rezept? Sich damit abfinden? Umschalten auf Schneckentempo?

Das geht nicht! Es geht wirklich nicht, Ann! Wenn man sich hängenläßt, ist man verloren. Mein Doktor, der Medizinmann (er ist seit mehr als zwanzig Jahren tot, aber ich erinnere mich an viele seiner Sinnsprüche und ich bin immer noch dankbar, auf meinem Lebensweg *einigen* weisen Männern und Frauen begegnet zu sein), der Medizinmann also pflegte zu sagen: »Wenn du erst einmal anfängst, dich zurückzunehmen, wirst du dich immer zurücknehmen müssen.« Mit anderen Worten: Wenn ich meinem Ich den kleinen Finger reiche, nimmt es todsicher die ganze Hand. Den Brief hatte ich bereits vorige Woche wegschicken wollen, aber »Ich« weiß mich immer wieder davon zu überzeugen, daß er noch einen Tag liegenbleiben kann. Um das Maß voll zu machen, schlucke ich – der abnehmenden Tatkraft zum Hohn – auch noch *die* geheimnisvollen Betablocker, die das Herz ab»schirmen« sollen (laienhaft dumme Bezeichnung meinerseits) und die ich jeden Tag von neuem bewältigen muß.

Eigentlich hege ich fortwährend einen heimlichen Groll auf meine Medikamente. Ich habe immer das Gefühl, als würde ich meinem Körper etwas aufzwingen, was nicht zu ihm gehört – etwas Feindliches, Wesensfremdes. Aber das ist natürlich der Gipfel der Ungerechtigkeit, denn wenn ich ernsthaft darüber nachdenke, müßte ich dankbar sein; so lange jedenfalls, wie ich Wert darauf lege, mein Leben in einem einigermaßen menschenwürdigen Zustand zu verbringen. Übrigens glaube ich, daß dir – mit deiner Abneigung gegen die Allopathie – all dies verrückt vorkommt.

p. s.: Als Kind sagte die jüngste Schwester meiner Mutter einmal, sie finde es überhaupt nicht schön, die Jüngste in ihrer großen Familie zu sein. Auf die Frage, warum, antwortete sie: »Weil ich später mal ganz allein übrigbleiben werde.«

Und genau so geschah es, obwohl ihre älteste Schwester, die ihr einundzwanzig Jahre voraus war, neunzig wurde.

Deshalb glaube ich, daß deine These über die geselligen großen Familien, in denen die Achtzigjährigen vor der Einsamkeit bewahrt bleiben, nicht ganz aufgeht. Deine eigenen Geschwister, von denen glücklicherweise noch so viele leben (sechs von neun!), bilden eine echte Ausnahme.

Der Grund dafür, daß ich mich manchmal einsam fühle, liegt mehr in meiner Art zu leben und in meinem Charakter. Meine Schwester zum

Beispiel unterhält viel regeren Kontakt zur Verwandtschaft als ich, und das ist nur teilweise darauf zurückzuführen, daß sie ihren Wohnort seit 1946 nicht mehr gewechselt hat.

Heleen

Liebe Taube,

du schreibst, daß du ohne deine Medikamente nicht leben könntest, aber eigentlich seien sie dir zuwider. Das ist nicht gut. Wenn man Magenbeschwerden hat, lutscht man in der Hoffnung, daß es den Magen beruhigen werde, ein Pfefferminz – und das ist dann schon die Hälfte der heilsamen Wirkung. Der Geist regiert den Körper. Warum zum Beispiel gerät jemandes Gedärm bei Todesangst in Panik? Und warum erzielen Scheinmedikamente – Placebos – manchmal die gleiche oder gar bessere Wirkung als echte Arznei? Der menschliche Geist bewirkt viel.

Wenn du dich fürchtest vor dem, was du zum Heile deines Körpers schluckst, blockierst du damit möglicherweise die Wirkung. Du sagst selbst, daß du zum empfindsamen Typus gehörst; das sind Menschen, die sich – wie du und ich – geistig betätigen; eigentlich also müßte dir die Homöopathie mehr geben können. Du weißt, daß ich seit meiner Pensionierung in den Händen eines homöopathischen Arztes bin. Alles, was meine Gesundheit beeinträchtigt hatte, ist seitdem ohne Unannehmlichkeiten oder Nebenwirkungen ausgeheilt. Homöopathische Heilmittel haben *nie* Nebenwirkungen, sie sind menschenfreundlich in des Wortes bester Bedeutung. Ich will dir deinen eigenen Arzt nicht vergraueln und dir statt dessen einen Homöopathen aufschwatzen, aber ich finde es schlimm, daß du – um deinen Tagesablauf bewältigen zu können – nur mit Widerwillen schluckst, was du schlucken mußt. Du hast wirklich allerhand durchmachen müssen im Laufe der Jahre, aber deine Energie und dein stets waches Interesse haben immer noch alles Ungemach besiegt. Es grenzt an ein Wunder, über wieviel Spannkraft und Regenerationsvermögen ein Mensch verfügt und bis ins hohe Alter hinein behält. Ich habe einmal darüber gelesen, wie geschickt der menschliche Körper sogar bei einer Neunzigjährigen einen Injektionsstich sofort wieder verschließt. Das habe ich auch bei meiner fünfundneunzigjährigen Nachbarin, die ich hin und wieder besuche, beobachten können. Sie fällt öfters hin und hat dann starke Schmerzen (weil sie dick und somit gut gepolstert ist, bricht sie sich nichts dabei). Ich habe ihr Arnikasalbe dagelassen, und jeweils nach ein paar Tagen sagt sie: »Es ist wieder gut.« Unlängst rief sie mich weinend und völlig aufgelöst an: Sie war mit dem Kopf gegen eine Möbelkante geschlagen, und es blutete. Sie ist nicht zimperlich, aber die Wunde sah böse aus, und wir mußten einen Arzt holen. Nach zwei Wochen war alles wieder verheilt und vergessen. Der Mensch ist ein wundervolles Gefüge; um es in Form zu halten und feindliche Angreifer zu vernichten, ist innerlich ständig alles in Bereitschaft und Bewegung. Ich finde es wunderbar, daß selbst in hohem Alter noch Krankheiten ausheilen und Schmerzen vergehen. Nach meinem siebzigsten Geburtstag hatte ich eine Zeitlang starke Beschwerden im Rücken. Es hat sich mit homöopathischen Heilmitteln alles wieder verflüchtigt, aber natürlich muß man anschließend ein bißchen vorsichtig mit seinem armen Knochengestell umgehen: nicht plötzlich die Arme weit ausstrecken, und wenn man – wie es für Alleinstehende notwendig werden kann – etwas Schweres heben muß, sollte man es mit den Armen tun und den Rücken dabei möglichst unbehelligt lassen. Ich will auch keine schweren Sessel mehr haben, und schwere Teppiche, die ich klopfen müßte, habe ich durch leichtgewichtige ersetzt. Und ich schwöre auf Wärme; sobald mir danach zumute ist – und sei es mitten im Sommer –, ziehe ich ein wollenes Hemd oder Leibchen an. Für uns Alte ist Wärme in vielen Fällen das Heilmittel Nummer eins. Wir frieren nun einmal rascher, als es früher der Fall war – unsere Haut reagiert schwächer. Eine Zeitlang habe ich mich morgens kräftig gebürstet oder mit einem groben Tuch frottiert – ein phantastisches Mittel, den Verkehr in all den Blutgefäßen ordentlich auf Trab zu bringen! Aber die Begeisterung läßt nach, und man gibt es wieder auf.

Dumm. Man könnte so vieles selbst bewerkstelligen.

Denk bitte daran, daß du, die du so stark auf Medikamente angewiesen bist, Kinder und vor allem Enkelkinder hast, die fortwährend deine Aufmerksamkeit verlangen und dir Sorgen machen. Die Sorge aber nagt an einem. Was du ohne Zögern tun solltest: Dir eine Hilfe nehmen. Wenn jemand die Fußböden für dich schrubbt, kannst du dich deiner Schreibarbeit widmen!

Was für ein Haufen weiser Worte

von deiner alten Ann!

Anne – das Leben!

Manchmal denke ich wirklich, sie wachten eifersüchtig darüber, wieviel ich auszuhalten vermöchte. (Wer das ist: »sie«? Manchmal führe ich Selbstgespräche und bediene mich des Plurals »sie« als Synonym für irgendwelche finsteren Mächte, die mich in der Gewalt haben.) Eine Freundin schrieb mir: »... wie geht's deinem Fuß? Was bist du doch für ein Pechvogel!« Ich war in Glasscherben getreten, und die Wunde hatte sich entzündet. Der Doktor wühlte mit einer Nadel darin herum, und ein paar Tage lang konnte ich kaum gehen, aber inzwischen war das schon wieder fünf Tage her, und ich wußte kaum noch, wovon sie sprach; ich war längst wieder mit neuem Ungemach beschäftigt: einer Kieferentzündung. Mein netter Zahnarzt (was für ein Jammer: Er ist fünfundsechzig geworden und will sich zur Ruhe setzen!) versucht mit viel Sachverstand und außergewöhnlichem Geschick, meine alte Brücke zu retten. Ob es gelingt, ist noch nicht sicher.

In der Familie meiner Tochter herrscht große Aufregung. Die einzige Ferienwoche der Eltern *ohne* Kinder nähert sich ihrem Termin, und jetzt mußten sie feststellen, daß das Töchterchen der Freunde, bei denen ihre eigene Kleine zu Besuch gewesen war, eine sehr ansteckende Gelbsucht hatte. Die Aussicht, mit drei kleinen Kindern sechs Wochen lang in Quarantäne leben zu müssen und damit zwangsweise von aller Welt abgeschnitten zu sein, war äußerst deprimierend und verleitete sie zu überhasteten Impfaktionen. Großes Wehklagen! Die Injektion muß mit einer stumpfen Nadel geschehen und ist deshalb doppelt schmerzhaft.

Und der heutige Tag war auch eine Niete. Morgens hütete ich die Zwillinge, weil ihre Mutter eine Sitzung beim Zahnarzt hatte. Es hieß also, sich energisch und munter zu zeigen und auf diese Weise alle möglichen Konflikte im Keim zu ersticken. Es hieß ferner, klein Heleen zu trösten, weil sie sich bitter beklagte, in »so 'ner kleinen Bude« (meiner) nicht zu wissen, womit sie sich beschäftigen sollte (*nota bene* fünf Sekunden nachdem ich ihr eine ganze Stunde lang vorgelesen hatte), und Bobby, der fortwährend Machtkämpfe inszeniert und sich notfalls auch mit Fäusten durchzusetzen versucht, zur Vernunft zu bringen. Und dann plagte mich die Sorge, nicht einfach einzuschlafen (ich schäme mich zutiefst!) während einer erneuten Lesestunde – mit dieser Geschichte, die ich schon unzählige Male zu Gehör gebracht habe, wovon sie aber nie genug kriegen können. Aktiv sein also!

Demgegenüber mußte ich mittags versuchen, mich für eine ALFA-Hilfe vormerken zu lassen. Bis jetzt habe ich eine private Kraft beschäftigt, aber das wird mir auf die Dauer zu teuer; ganz ohne Hilfe aber komme ich leider nicht aus. Ich glaubte, bei der ALFA wäre es das Alter, was den Ausschlag gäbe – aber nichts weniger als das; es muß einem etwas »fehlen«. So erzählte ich ihnen alles Mögliche über Herz, Blutdruck, Augenoperation und das ärztliche Verbot, mich zu bücken oder schwer zu heben. Die nette Sachbearbeiterin musterte mich amüsiert – offensichtlich machte ich auf sie nicht den Eindruck eines hilfsbedürftigen Wesens. Zudem ist – wie ich selber bestätigte – mein Appartement ja klitzeklein. Natürlich hätte ich ein bißchen dicker auftragen und ein bißchen mitleiderregender aussehen können (es gibt ja tatsächlich Augenblicke, in denen ich mich nicht besonders wohl fühle), aber mir stand nicht der Sinn nach einer Posse wie »… altes Mütterchen kann keinen Fuß mehr vor den anderen setzen« –. Akzeptiert wurde nur meine Vorhaltung, daß es mir Mühe verursache, die *gesamten* Fußböden und Fenster zu putzen; sie würde es dem Petitionsausschuß vortragen. Später teilte sie mir mit, daß ich nicht in Betracht käme.

Bei der ALFA-Hilfe handelt es sich übrigens um häuslichen Beistand, der uns in der Lage halten soll, dem Altenheim fernzubleiben. Weil aber die entsprechenden Zuschüsse gekürzt worden sind, können sie weniger Arbeitskräfte vermitteln und müssen den Kreis der Hilfsbedürftigen rundherum verengen. Die Sachbearbeiterin hatte mir übrigens nebenbei eine drollige Geschichte von einem alten Herrn erzählt, der – durchaus noch gesund und munter – mit seiner ALFA-Hilfe unter einer Decke steckte und bei jedem Kontrollbesuch erfolgreich seine Hilflosigkeit zu demonstrieren wußte. Dieser Staat verführt die Menschen zum Betrug.

Ja, man kann natürlich nie wissen – aber ich glaube nicht, daß du dir wirklich Sorgen um mich machen müßtest. Letzthin hast du mich daran erinnert, daß ich früher so viel mit dem Herzen zu tun hatte. Nun: Dank der Medikamente, die ich bereits seit vierzehn Jahren nehme, habe ich in letzter Zeit viel weniger Beschwerden auf diesem Gebiet. Wenn ich jetzt zum ersten Mal Blut- und Herzprobleme bekäme, würde ich mich vielleicht zur Homöopathie bekehren, aber jetzt wäre es wahrscheinlich viel zu kompliziert, herauszufinden, welche Arznei am besten für mich wäre. Und im übrigen: bis zu diesem Augenblick »funktioniere« ich – um meine Schwester zu zitieren.

Ich denke, daß mein Klagelied über die Medikamente (in meinem letzten Brief) seinen Ursprung in einer Art Heimweh nach früher hat, als das Leben noch so selbstverständlich war. Ähnlich beschriebst du es ja auch in deinem Brief über die Ferientage an der See: daß du, um Leib und Seele zusammenzuhalten, jetzt viel größerer Mengen Hilfsmittel bedarfst als früher.

Heleen

Liebe Taube,

ich habe etwas entdeckt – das heißt: Es ist zum ersten Mal richtig in mein Bewußtsein gedrungen; aber ich komme später darauf zurück. Zunächst eine andere Entdeckung:

Das Gedächtnis ist produktiver, wenn man ausgeschlafen ist. Die ersten Tage nach meiner Ferienwoche am Meer fühlte ich mich enorm erholt; es war, als habe ich erst da – ein halbes Jahr nach meiner tückischen Wintergrippe – die »Nachwehen« endgültig überstanden. Ich merkte auch, daß sich mein Gedächtnis stabilisiert hatte. Es fiel mir ganz leicht, mich all der Namen zu erinnern, für die ich sonst konzentrierte geistige Energie hätte aufbringen müssen.

Leider ist dieser Höhenflug wieder vorbei. Als ich mit einem Werkstudenten, der zeitweise als Taxifahrer arbeitet, ein Gespräch beginnen wollte (ich rede *immer* mit Taxifahrern – jeder Mensch, der einem begegnet, hat etwas anderes zu bieten –), versagte mein Gedächtnis mir schnöde den Dienst. Der junge Mann hatte erzählt, daß er Ökonomie studiere, und ich, die ich den ökonomischen Teil der Tageszeitung nahezu auswendig hersagen kann, vermochte plötzlich nicht *einen* Namen ins Spiel zu bringen. Zu Hause angekommen, waren sie natürlich alle wieder da.

Aber was ich entdeckt habe und was mir so überdeutlich klargeworden ist: Bei Gedächtnisverlust geht es um das nichtfunktionierende Wiedererkennen – das unmittelbare Erkennen. Zwischen Wahrnehmen und Erkennen, was sich früher von selbst und gleichzeitig einstellte, liegt jetzt eine Lücke.

Man wird nachts wach und blickt auf den Wecker: Viertel nach Zwölf. Waas? Das kann doch nicht stimmen!

Tut's auch nicht – es ist drei Uhr. Man sieht sowohl den kleinen wie auch den großen Zeiger, man nimmt sie wahr, aber was sie bedeuten, dringt nicht im selben Moment zu einem durch: Das Erkennen verzögert sich.

Aus meinem Geburtstagskalender ist zu ersehen, daß jemand namens Toos nächste Woche Geburtstag hat. Toos? Wer ist Toos? Wer, verflixt, ist *Toos*?? Ich muß scharf überlegen, und plötzlich ist Toos wieder im Gedächtnis und mit ihr der Ärger darüber, daß ich sie vergessen konnte.

Jemand sagt: »Ich fahre nach Ancona.« Ich muß nachdenken, den Klang durch meinen Kopf kreisen lassen, bis er *den* Fleck auf der Erdkugel erkannt hat, wo er hingehört.

Ich sah eine TV-Reportage über (von irgendwoher) herandrängende Demonstranten, und der Moderator sagte: »Die Polizei hält ein Auge auf das Geschehen ...« Was für eine komische Formulierung, geht es mir durch den Kopf – müßte es nicht heißen: »... behielt das Geschehen im Auge«? Nach fünf Minuten war die Aberration* vorbei, und ich schämte mich meiner selbst; denn natürlich hätte man es auch in der zweiten Form ausdrücken können. Aber ich, der das Spiel mit Worten so großes Vergnügen bereitet, war plötzlich nicht in der Lage, eine ganz einfache Redensart wiederzuerkennen.

Manchmal beunruhigen mich solche Dinge sehr, aber dann tröste ich mich damit, daß in einem übervollen Kopf auch einmal etwas von der Regel abweichen darf. Sonderbar ist, daß ich Stimmen am Telefon sofort einordnen kann, während eine Melodie längst nicht mehr die dazugehörigen Worte in mir wachruft. Nun, Musik war noch nie meine Stärke. *Wirklich* unruhig aber werde ich, wenn ich eine Pflanze nicht sofort mit Namen und Gattung benennen kann. Du weißt, wie eng ich mit Pflanzen und Pflanzenkunde vertraut bin – sie sind meine Lust und mein Leben. Wenn ich in freier Natur auf irgendeine Pflanze stoße, die besondere Merkmale wie etwa einen viereckigen Stengel und sich gegenüberstehende Blätter hat, und ich komme nicht im gleichen Augenblick darauf, daß es sich um einen Lippenblütler handelt –

---

* das Nichterkennen einer normalen oder gebräuchlichen Form

wenn ich darüber hinaus sogar erwägen muß, ob es nicht auch ein Kreuzblütler sein könnte, dann läuft es mir kalt den Rücken hinunter, und ich denke: Jetzt ist es aus und vorbei mit dir. Ich fange an, mich zu trainieren. Ich repetiere laut alle Namen von Unkräutern, die ich unterwegs an Mauern oder im Straßengraben sehe. Vorübergehende könnten denken, ich sei nicht ganz bei Trost (... ach Gott – das arme alte Mensch!), wenn ich beim unscheinbarsten gelben Blümchen stehenbleibe, es liebevoll beäugele und vielleicht murmle: »Kreuzkraut. Korbblütler ...«

Du würdest es nicht komisch finden, das weiß ich; du hast schon verrücktere Dinge mit mir erlebt. Weißt du noch, wie ich in Paris aus dem kleinen Gärtchen an der russischen Kirche ein paar Blättchen von der Japanischen Kirsche pflückte und sie aufaß –? Ich hatte so schrecklichen Hunger auf Vitamine!

Deine Kräuterhexe Ann

Ja, liebe Ann –

und dann botest du mir auch Japanische Kirschen an, und ich war entrüstet: Das Gärtchen lag unmittelbar an der Straße, und die Hunde liefen frei darin herum. Es ging ums Prinzip – Vitamine oder Bakterien; irgendwie muß man sich in dieser Welt immer entscheiden.

Ich habe soeben auch wieder die Notwendigkeit von Übungen entdeckt – von gymnastischen zum Beispiel. Eine höchst langweilige Angelegenheit. Manchmal liege ich im Bett und denke aufsässig: »Ich stehe noch nicht auf, sonst muß ich unter der Dusche wieder Turnübungen machen – Knie- oder Rumpfbeugen.« Aber nötig ist es, und danach fühle ich mich jedesmal unangreifbar. Eigentlich sollte ich mich einem Verein anschließen, aber dem steht mein unregelmäßiges Leben im Wege. Ich weiß vorher nie, was ich zu welcher Zeit tun muß. Aber man muß bewußt in Bewegung bleiben, und so mache ich gelegentlich auch das, was ich »Gedächtnistraining« nenne. Wenn ich wachwerde, rufe ich mir ins Gedächtnis, was ich am Abend vorher auf dem Bildschirm gesehen habe. Es ist einfach verrückt, wenn man zu rekapitulieren versucht, was man an einem einzigen Tag an Neuigkeiten, Diskussionsrunden, Filmen, Informationen, Erschütterung, Empörung, Bewunderung, Schrecken oder Angst aufgenommen hat! An *einem* Tag mehr als früher unsere Eltern in einer ganzen Woche oder gar einem Monat zu verarbeiten hatten.

Ich repetiere sehr oft Namen. Sonderbar: Russische Namen kann ich ziemlich gut behalten, aber bei japanischen habe ich so meine Probleme. Es gibt zur Zeit viele japanische Filme und Romane, und wenn ich den Namen begegne, denke ich: »Och, katzenleicht!« Der Name eines ganz bekannten Schriftstellers zum Beispiel, dessen Bücher auch ins Niederländische übersetzt werden: KAWABATA (oder so ähnlich). (Er fällt mir bestimmt gleich wieder ein!) Aber bei nächster Gelegenheit geht's los: Wie war das auch wieder – BAKAWATA? WATABAKA? Früher konnte ich so komplizierte Namen wie GALAVAZI besser behalten als Meier oder Müller.

Ich glaube, ältere Leute verwechseln Rückgang oft mit Ungewohnheit. Das trifft auf allerlei Gebiete zu. Laß zum Beispiel jemanden etwas vorlesen: Jeder hat doch lesen gelernt, aber wer nach seiner Schulzeit nie mehr laut zu lesen gewohnt war, wird sich durch den Text hindurchstammeln und -stottern. Als ich bei der Nachuntersuchung meiner Augenoperation kleine Texte vorlesen sollte, nahm die Ärztin mir das Buch schon nach dem ersten Satz weg. »Gut«, sagte sie, »das ist bestens.« Aber war mein Sehvermögen wirklich wieder so gut? Ich versuchte es ihr zu erklären – »Ich *lese* so gut«, sagte ich. Sie blickte mich ein bißchen erstaunt an – ich glaube nicht, daß sie begriffen hatte, was sich meinte. Ich wollte ausdrücken, daß ich – wenn ich auch nur ein paar Buchstaben eines Wortes sehe, aus dem Kontext schon begreife, was folgt.

Wenn wir auch weiterhin »funktionieren« wollen – was bei unserer »Vergreisung« unbedingt nötig ist, denn es stellt sich doch die Frage, ob die Gesellschaft uns dauerhaft auf dem jetzigen Niveau unterstützen kann *ohne* Gegenleistung – wenn wir also weiterhin funktionieren wollen, müssen wir alle unsere Fähigkeiten, die durch den Nichtgebrauch schrumpfen könnten, stärken und trainieren. Das ist manchmal recht lästig, denn man wird tatsächlich ein bißchen bequemer. Aber wie man es auch betrachtet: Der Hang zur Bequemlichkeit ist und bleibt eine Untugend.

Und darum höre ich jetzt auf und mache die Kniebeugen, die ich heute morgen versäumt habe, weil ich verschlafen hatte und die Zwillinge bereits um neun Uhr angetrabt kamen.

Heleen

Liebe Taube,

mit Recht erinnerst du an die Notwendigkeit, vorhandene Fähigkeiten zu stützen und zu trainieren. Es besteht ja sonst die Gefahr, einzurosten oder einfach zu verdämmern. Es ist überhaupt *die* Aufgabe, wenn man positiv alt werden will, und mit positiv meine ich, sich nicht zu sträuben, sondern einzusehen, daß es zum Leben *gehört*. Gewiß gibt es Tage, an denen einem alles zuviel wird. Du sagst so offenherzig, es sei nur dein Hang zur Bequemlichkeit, wenn du keine Lust zu den selbstverordneten Kniebeugen hast. Aber wir beide – siebzig du, achtzig ich – sollten uns das hin und wieder doch gönnen; ich bin davon überzeugt, daß es genau so wichtig ist, seinen Bedürfnissen einmal nachzugeben, wie aktiv und interessiert zu bleiben. Letzteres übrigens ermüdet mich am meisten.

Wenn man in dem Augenblick, da einem alles zuviel wird, nicht zur Ruhe kommen kann, überschreitet man seine Grenzen. Und das Elend ist, daß die jungen Menschen um einen her keine Ahnung davon haben, wie intensiv müde man sein kann. Manchmal bin ich müde bis ins Mark. »Aber du bist doch noch sooo fit«, sagen Neffen und Nichten, die »fitsein« nur von ihren jungen Körpern mit der sich immer wieder erneuernden Spannkraft her kennen. Ich hatte eine tödlich ermüdende Woche – jeden Tag etwas anderes, jeden Tag außer Haus. Als ich gestern heimkam, dachte ich: »So, das war's, und jetzt nur noch gemütlich im Sessel sitzen.« Aber natürlich läutete in diesem Augenblick das Telefon – dieses Schreckgespenst. Ein sympathisches junges Paar teilt mir mit, es sei zufällig in der Nachbarschaft – »…dürfen wir auf einen Sprung vorbeikommen?« Ich sagte »ja«, weil ich – ebensowenig wie du – nein sagen kann. Aber eigentlich war es wirklich zuviel. Ich schlurfte todunglücklich in die Küche, um Teewasser aufzusetzen.

Nach einem ermüdenden Tag brauche ich wiederum einen ganzen Tag, um abzuschalten – sonst werde ich nervös und kann, obwohl ich sonst immer gut schlafe, keine Ruhe finden. Dann stehe ich mitten in der Nacht auf, mümmele Zwieback, lese die Verse von Annie M. G. Schmidt* und bin am nächsten Tag so frisch wie ein alter Putzlumpen. Und das macht mich traurig wie Ollie W. Bommel** nach einem Mißerfolg: Ich sacke zusammen. Ein Gefühl von Herbst überkommt mich: Die Blüte ist vorbei, die Kraft vertan.

Doch jetzt noch etwas zum »Funktionieren«. Ich hatte eine faszinierende Begegnung mit einer

* anzusiedeln in der Nähe von Morgenstern, Tucholsky oder Ringelnatz
** kleiner Bär aus einem Comic

WOUW-Frau. Vor einiger Zeit schrieb ich dir dar-über: Es handelt sich um eine Gruppe älterer Frauen, deren Bezeichnung WOUW eigentlich für »Wijzer Ouder Worden« (klüger älter werden) steht, was von respektlosen Zeitgenossen aber sehr rasch in »Wijze Oude Wijven« (schlaue alte Weiber) verballhornt wurde. Es ist keine Organisation, sondern ein sogenanntes Netzwerk, das sich lautlos ausbreitet – Frauen zwischen fünfzig und achtzig, die sich mit kritischem Verstand und klarem Blick für aktuelle Notwendigkeiten auf den Gebieten von Altenhilfe, Gesundheitsfürsorge, Sozialfür-sorge oder was auch immer tatkräftig engagieren; die – um es kurz zu sagen – mündiges und men-schenwürdiges Altern auf ihr Panier geschrieben haben.

Die WOUW-Frau, mit der ich sprach, sah sehr schön aus – sie kam direkt von einer Hochzeits-feier, wo sie als Standesbeamtin eine Trauung voll-zogen hatte. Sie und zwei weitere Damen sind auf Antrag des Bürgermeisters ihrer Gemeinde zur Wahrnehmung dieser Aufgabe angestellt worden. Es heiraten gegenwärtig ja viele alte Paare, und diese scheinen es zu begrüßen, daß die Gestaltung der feierlichen Zeremonie in den Händen einer Altersgenossin liegt. Dies hatte, wie sie ausdrück-lich erklärte, nichts mir der WOUW zu tun, aber es scheint mir zu bestätigen, daß sie – Hausfrau mit Mann und erwachsenen Kindern – den Sinn von WOUW richtig erfaßt hat: Ihre Tatkraft gilt dem Leben. Sie und ihre gleichgesinnten Freundinnen leiten auch Kurse (sie haben sich extra dafür ausbilden lassen!) für Frauen, deren Männer das Rentenalter erreicht haben: Sie treffen sich morgens zum Kaffee und sprechen über alles, was Frauen in dieser neuen Lebensphase und beim Älterwerden überhaupt zu erwarten haben – man kann ja ganz plötzlich allein dastehen, man kann gebrechlich oder taub werden, alles selber erledigen müssen (auch amtliches) oder ein Testament verfassen wollen. Gezielte Informationen machen es den Kursusteilnehmerinnen leichter, dem Älterwerden ohne Angst entgegenzusehen. Außerdem haben sie die Möglichkeit, das Netzwerk kennenzulernen.

Die »Weisen alten Weiber« selbst informieren sich, machen sich auf seriöse Weise kundig und besetzen leitende Positionen in Krankenhäusern, Institutionen der Gesundheitsvorsorge, in Petitionsausschüssen oder Altenheimen. Es gibt Altenheime, in denen das Wohl und Wehe der fast ausschließlich weiblichen Bewohner in männlicher Hand liegt, und es scheint mir brotnötig zu sein, daß auch reife Frauen einen leitenden Platz darin einnehmen.

Die WOUW ist vor etwa fünf Jahren in Rotterdam gegründet worden – einfach von ein paar unternehmungslustigen Frauen um die Fünfzig, mit gesundem Urteilsvermögen über alles, was sich in der Gesundheits- und Altenfürsorge tut – worauf sie in nicht allzu ferner Zukunft ja auch selber angewiesen sein könnten. Sie haben die Köpfe zusammengesteckt, haben sich kurz beraten und sind dann mutig an die Arbeit gegangen. Sie haben etwas erreicht und auch weitere Frauen mit Arbeits- und Lebenserfahrung für ihr Werk gewonnen, das sich auf diese Weise ganz von selber ausweitet. Wir werden bestimmt noch viel davon hören. Eine großartige Initiative!

Deine Ann

Liebe Ann,

diese Emanzipierung der Älteren – das hätte schon viel eher geschehen müssen! Es war doch zu erwarten: weniger Kinder, bessere Versorgung und als Folge längere Lebenszeiten –. Laß uns nur zehn Jahre weiter sein, dann werden wir *noch* viel mehr alte Menschen haben, weil sie in ihren kleinen Familien weniger »verschlissen« wurden als früher mit ihrer großen Kinderschar. Danach wird die Anzahl der Alten wieder abnehmen, weil aus weniger Kindern ja auch weniger Alte werden.

Und nun setzt sie sich also endlich durch – diese Bewegung zur Verlängerung des Lebens (nicht: des verlängerten Sterbens, nicht: des Vegetierens oder Dahinsiechens). Es geht ums bewußte Mittun, um die Annahme des Lebens*alters* als eine Zeit zum *Leben* und zum Sichumschauen, ums Entdecken all der Dinge, die auch alten Menschen zu tun bleiben. Ja, ich hatte tatsächlich auch schon Kontakt mit der WOUW. Damals hatte ich mir vorgenommen, einen Artikel darüber zu schreiben, aber dann verliefen meine Kontakte mit den Frauenzeitschriften im Sande – ich kann nicht mehr sagen, weshalb. Das sind Dinge, die einfach so passieren – die sich, wenn man ein bestimmtes Alter erreicht hat, viel jäher einstellen. Man kann es den Menschen nicht verübeln, daß sie heimlich begin-

nen, unser Alter in ihre Vorhaben einzubeziehen –
sie könnten immerhin (und vielleicht zu recht)
vermuten, daß diese oder jene Arbeit bei einer
Jüngeren besser aufgehoben wäre. Und ehrlich
gesagt, dachte ich früher selbst so.

Ich bin nun seit fünf Jahren im rentenberechtig-
ten Alter (von VUT* will ich gar nicht reden!),
und doch stehe ich immer noch mitten im
Arbeitsprozeß. Es hat Vorteile, aber ich fühle mich
gleichzeitig doch weniger wohl dabei. Ich weiß,
daß ich weniger leisten kann, und naturgemäß
setzt man auch weniger Vertrauen in meine Arbeit.

Im vorigen Jahr gab ich eilige Artikel notfalls
noch spät abends per Telefon durch – jetzt muß
ich mich fragen, ob ich das überhaupt noch könnte: auf die Schnelle etwas zusammenstellen und –
ohne lange darüber nachzudenken – ab damit.

Wo liegt der Augenblick, bei dem man tatsächlich den Schlußpunkt setzen sollte? Er kündigt sich
nicht an, es zeigt sich kein Meilenstein wie etwa
FÜNFUNDSECHZIG … Um die Zeichen deuten zu
können, muß man selber wach bleiben.

Aus Erfahrung weiß ich, daß du – die stets
Trostbereite – jetzt sofort deinen Schreibtisch stürmen wirst, um mir zu versichern, daß ich noch
eine ganz prächtige Person sei und mir keine
Sorgen zu machen brauche. Aber das ist nicht

* Vorruhestandsregelung

nötig, denn diesmal ist es kein Hilferuf – keine plötzliche, nicht zu verkraftende Einsicht. Ich fange an, das Unabwendbare anzunehmen – darauf zuzugehen; und das ist gut so. Ich muß den Mut aufbringen, in meinen inneren Spiegel zu schauen – festzustellen, was fehlt, um mich in Zukunft danach richten zu können. Vielleicht könnte es einem tatsächlich ein gewisses Maß an Ruhe schenken, sich irgendwann in die Geborgenheit einer Altengemeinschaft zurückzuziehen und die Gewißheit zu haben, noch für eine Weile auf einem sozusagen entschärften, angenehmen Niveau weiterleben zu dürfen.

Aber vorläufig gibt es noch allerhand zu bewerkstelligen. Du zum Beispiel hast letzthin noch die Spur einer ganz besonderen Initiative in Deutschland aufgenommen: das Altenheim in Bad Segeberg, das in eine Lebensgemeinschaft auf Gegenseitigkeit mit kostendeckender Bewirtschaftung umgewandelt worden ist. Ich habe Unterlagen angefordert und bin wirklich beeindruckt. Es war ein ganz normales Altenheim, aber zum Haus gehörten vier Hektar Umland. Eines Tages wurde die Stelle der Heimleitung vakant, und das Ehepaar, das sich bewarb, verstand zwar nicht das geringste von Altenfürsorge, aber die beiden wußten alles über Landwirtschaft. Gemeinsam mit den dreiunddreißig Bewohnern des Hauses beschlossen sie, einen kleinen bäuerlichen Betrieb zu starten.

Sie beschafften sich ein paar Nutztiere – die Ställe waren vorhanden – sowie Hühner und Enten. Sie pflanzten Kartoffeln, Tomaten, Spargel und dergleichen mehr. Hier bei uns bin ich zwar immer wieder der Meinung begegnet, es handele sich jetzt um einen reinen Agrarbetrieb und sei nur etwas für Landwirte, die sich zur Ruhe setzen wollten, aber die dreiunddreißig Alten hatten ursprünglich nichts mit Landwirtschaft zu tun gehabt, und die meisten von denen, die einen kleinen Nutzgarten bewirtschaftet hatten, wußten nichts vom Kartoffelanbau. Und vielleicht war das gut so; sie konnten gemeinsam an ihr Abenteuer herangehen.

In unserem Land hat man sich – in Anlehnung an Bad Segeberg – an ein ähnliches Projekt gewagt, aber es ist nichts daraus geworden. Solche Dinge sollte man auch nicht nach einem Modell angehen – es ist sicher mehr eine Frage der Initiative und der Inspiration, eine echte Herzensangelegenheit: Es heißt Ausschau zu halten nach Möglichkeiten und Wegen, die der eigenen Umgebung entsprechen – *neue* Wege, nicht die alten, ausgetretenen Pfade. Aber es ist *möglich*, und das ist das wichtigste.

Heleen

Liebe Taube,

ja, das täte ich auch gern: innerhalb einer weißhaarigen Lebensgemeinschaft Gurken und Tomaten anbauen, wenn ich zu Hause, trotz der Hilfe von all den lieben Menschen um mich her, nicht mehr allein zurechtkäme. Es gibt sogar schon Pilotprojekte für solche Unentwegten, denen das Bücken schwerfällt: erhöht angelegte Gemüsebeete. Wir beide wären wohl zu alt, um so etwas anzufangen, man müßte nicht nur kreativ genug sein, sondern auch organisieren können. Und leicht wäre es bestimmt nicht, aber es hat dennoch etwas Verlockendes: direkter Kontakt mit der alten Mutter Erde, solange man sich eben bewegen kann.

Wenn ich durch meine geliebte kleine Wildnis streife, sinne ich oft darüber nach, wieviel Glück ich darin finde: Ich kann mich an jedem Kräutlein erfreuen, kann jeden Duft oder Geruch einatmen und genießen. Wer und was bin ich auf diesem zauberhaften Fleck Erde? Nur Eine von Milliarden – winziger als der Bruchteil eines Stecknadelkopfes, ein Stäubchen … Und doch bin ich existent auf dieser sich drehenden Kugel, die »Welt« heißt, ich bewege mich inmitten von weichem, zärtlich mich streifendem Gras, sanft sich wiegenden Bäumen und herrlichen Wildpflanzen, die

sich immer wieder ohne mein Zutun erneuern ...
Bald werde ich nicht mehr da sein; aber noch
fühle ich mich meinem Dasein ganz und gar verhaftet, und mein Herz ist erfüllt von einem unbe-
schreiblich innigen Gefühl der Hingabe an diese
Erde.

Alte Menschen sollten sich im Freien beschäftigen – so lange wie möglich und solange es ihnen
Freue macht. Ich denke an das Buch ›Abschied von
Matjora‹ des Russen Valentin Rasputin, der sich so
gut in die Seele alter Menschen hineindenken
kann. Es ist die Geschichte jener alten Frauen, die
mit ihrem Grund und Boden verwachsen sind und
sich jetzt von allem trennen müssen, weil ihr Dorf
zugunsten eines Stausees überflutet wird. Ein solches Schicksal muß einen nachdenklich machen;
was könnte je die menschenwürdige Lösung sein
für die Unzahl einsamer alter Menschen in einer
überfüllten Stadt –? Wir, die Alten, sollten uns
Gedanken darüber machen.

Andererseits: Ein achtzigjähriger Bauer lebt, da
er keine Kühe mehr zu versorgen hat, von seiner
Frau liebevoll betreut in einem hübschen
Häuschen. Abends, wenn er seine Zeitung ausgele-
sen hat und er sich anschließend langweilt, konsu-
miert er einen Fernsehfilm und beklagt sich hinterher regelmäßig, daß nichts als Sex über den Bildschirm läuft. Entspricht *das* der menschlichen
Würde?

Wieviel besser könnte ein solcher Mensch innerhalb einer kleinen landwirtschaftlichen Lebensgemeinschaft zu seinem Recht kommen und glücklich sein, so, wie es noch vor hundert Jahren der Brauch war: die ganze Familie gemeinsam auf dem Bauernhof, wo auch die Greise noch ihre Aufgaben hatten; waren doch sie es, die auf die Kleinsten achtgaben, wenn alle anderen auf dem Feld arbeiteten – die auch sonst hilfreiche kleine Handreichungen machten oder hier und da gute Ratschläge gaben...

In einer Gemeinschaft, wo man die Sorge füreinander und für das ganze Gewese gemeinsam trägt, wird man das Sein und das Tun viel besser in Einklang bringen können.

Ich denke an die achtzigjährige Freundin, die vor kurzem ein ruhiges neues Domizil innerhalb einer Art Wohngemeinschaft bezogen hat – mit allem Komfort, allen Bequemlichkeiten und sogar mit einem Stück Garten. »Einfach herrlich!« schwärmt sie; du kennst ja diese endlosen telefonischen Unterhaltungen, in denen man alles erschöpfend austauschen kann (anstatt in den Zug zu steigen und wieder einmal alles »aufzuarbeiten«. Aber natürlich wäre letzteres anstrengender.).

Dennoch bekannte auch sie, daß sie sich manchmal langweile. Sie liest gern, aber das kann man nicht ununterbrochen tun – auf die Dauer nimmt man gar nicht mehr auf, was man liest. Ihre Enkelkinder, die ganz nahebei wohnen, besuchen sie nur selten – obwohl die Großmutter eigentlich nur wegen der vertrauten Nähe ihrer Tochter und deren Familie in die Wohngemeinschaft gezogen war. Handarbeiten liegen ihr nicht – außerdem versagen die Hände ihr den Dienst; sie kennt kaum jemanden in der neuen Umgebung und hat so keinen Menschen, mit dem sie der Einsamkeit Paroli bieten könnte. In einer solchen Situation benötigt man die eigene Kreativität mehr denn je.

Ein nicht mehr ganz junges Ehepaar, mit dem zusammen ich in einem schönen Hotel gespeist hatte, wollte unbedingt von mir wissen, wie das denn nun sei: altsein; keine weiten Reisen mehr unternehmen zu können und so ... Was soll man darauf antworten –?

Jeder wird alt auf seine eigene Weise – so, wie man immer war. Im gleichen Maße, wie die Welt um uns her kleiner wird, muß man tiefer aus seiner eigenen geistigen Reserve schöpfen, und es ist gut, wenn sich dann genügend Substanz findet. Wichtig ist auch, den Vorrat nicht einfach zur Neige gehen zu lassen – man muß sich Mühe geben, solange es eben geht.

Und das ist bestimmt nicht leicht – in einer Gesellschaft, in der die Anteilnahme für solche Dinge nur gering ist – das Interesse für alles andere, Außenstehende dagegen völlig überzogen. Es ist das große Übel unserer Zeit.

Und darin waren die beiden netten Menschen und ich uns sogar einig.

Ann

Liebe Ann,

neulich erklärte mir jemand, man müsse dem Altern gegenüber eine positive Haltung einnehmen. Ich bin ein bißchen allergisch gegenüber solchen Sprüchen, aber beim »Schließen meines Hauptbuchs« denke ich darüber nach. Manchmal hat das Alter ja wirklich positive Seiten. Wir haben uns während der letzten Monate gegenseitig viele Aussprüche und Gedankensplitter über alte Menschen oder von ihnen selbst mitgeteilt: Es war kein Geringerer als der berühmte fünfundsiebzigjährige Schriftsteller Max Frisch, der einmal sagte, das Alter gebe ihm ein Gefühl des Reichtums und bei allen Nachteilen doch auch das Bewußtsein der Kompetenz.

Dennoch halte ich es für berechtigt, das Alter als Last zu empfinden, und das sollte man nicht verharmlosen durch den zuversichtlichen Hinweis auf irgendwelche Aufgaben. Der Augenblick des Abschieds von dieser »entsetzlichen, herrlichen Welt« rückt näher, und der Gedanke daran weckt unterschwellige Trauer. Und da ist auch das bleibende Gefühl des Unvermögens. Ich zitiere einen anderen fünfundsiebzigjährigen Schriftsteller:

»Es ist wirklich ärgerlich: ja, ja, ja (achte auf das dreimalige »ja«!). Man wird älter, man merkt, daß man nicht mehr so leben kann wie früher. Ein unangenehmer Zustand!«

Ein älterer Herr (in unseren Augen allerdings noch nicht *wirklich* alt), der allgemein als besonders klug angesehen wird, drückte es während eines Interviews so aus: »Ich bin ein totaler Mißerfolg.« Der Interviewer versuchte natürlich beflissen, diese Behauptung zu widerlegen, aber der Herr wehrte unmutig ab: »Bemühen Sie sich nicht – ich selber empfinde das so.«

Nun ja – es gibt Menschen, die auf ein erfülltes Leben zurückblicken können, aber es gibt auch die, denen bis ans Ende ihres Lebens etwas Unnennbares fehlt – die alles »irgendwie anders gemeint« haben. Ich kenne dieses Gefühl, aber solange ich mich noch in einem »aussprechbaren« Lebensalter befand, war ich immer der Überzeugung: »Oh, irgendwie schaffe ich das noch« – etwa in der Weise, daß ich irgendwann doch noch das großartige Buch schreiben würde, das ich schon in meiner Jugend geplant hatte – daß ich einen Preis gewinnen würde, mit dem ich alle möglichen (und nicht nur meine eigenen) Sorgen aus der Welt schaffen könnte – daß ich eines Tages meine Traumreise antreten würde … Oder was auch immer. Es konnte ja noch so unendlich viel geschehen.

Eine Freundin hat das auch erkannt. »Ich weiß«, sagte sie, »daß ich Malerin hätte werden sollen, aber ich habe es immer vor mir hergeschoben – und jetzt ist es zu spät.«

Eigentlich bleibt das Gefühl »Es-kommt-noch« sehr lange haften. Die Umwelt hat einen bereits abgeschrieben, aber man glaubt immer noch an eine Zukunft, selbst dann, wenn Gewesenes längst versunken ist. Und dies macht deutlich, was Altern wirklich ist: Das Leben geht seinen Gang, es gibt keine Grenze für die erste, zweite oder dritte Lebensphase. Die Umstände ändern sich – aber in uns lebt das Ich, das mehr oder weniger dasselbe bleibt – heute positiv, morgen das Gegenteil davon. Und das, was die Welt in uns zu sehen vermeint, ist zumeist etwas ganz anderes als das, was wir selber zu sein glauben.

Absurderweise scheint die Gesellschaft darauf auszusein, die Alternden so früh wie möglich auszurangieren, derweil die Entwicklungen im Sozialbereich uns doch zwingen, beweglich und kämpferisch zu sein, damit unsere Lebensqualität annehmbar bleibe. Und wenn wir auf die Barrikaden gehen, sollten wir das nicht nur für uns selbst tun, sondern für all die Verwundbaren und Hilflosen unter uns. Es parliert sich so bequem über Abbau von Unterstützung und Einsparungen bei Dienstleistungen. Solange man selber nicht zu den Betroffenen gehört oder es nicht nötig hat, ist es leicht, sich mit solchen Sparmaßnahmen solidarisch zu erklären, aber wenn man sich einmal näher mit den Schwierigkeiten jener Alten befaßt, die ausschließlich auf ihre Altersrente angewiesen sind, bleibt einem jedes Trostwort im Halse stecken; man schämt sich.

Als kürzlich wieder einmal eine abscheuliche Maßnahme durchgesetzt werden sollte, rief ich zornig: »Jetzt gehe ich hin und schmeiße dem Ministerium die Fensterscheiben ein –«, aber dann schwieg ich erschrocken. Wie macht man so was? Von nahem? Oder besser aus einiger Entfernung –? Müßte man sich danach schleunigst aus dem Staube machen oder stehenbleiben, sich festnehmen und seine Personalien feststellen lassen –? Ich hatte es schließlich noch nie vorher versucht …

Aber wie auch immer: Wir alten Menschen sollten, solange wir noch die Kraft haben, wehrhaft bleiben. Es müssen ja nicht unbedingt zertrümmerte Fensterscheiben sein (ich bin ein Gegner von Gewalt und möchte es nach Möglichkeit auch bleiben!), aber wach sein *müssen* wir – wir müssen nach Kräften mithelfen, die Niederländische Volksgemeinschaft auf der richtigen Schiene* zu halten.

Heleen

---

* Nach der niederländischen Gesetzgebung hat jeder Niederländer »das Recht auf ein menschenwürdiges Dasein«.

Liebe Taube,

du läßt in deinem Brief drei alte Menschen (Männer) zu Wort kommen, läßt sie über das Alter sprechen und was es aufgrund ihrer Erfahrungen für sie bedeutet. Ich habe nachgelesen, was die dreiundachtzigjährige Marguerite Yourcenar – für mich die klügste, brillanteste und durchschaubarste Schriftstellerin – darüber denkt. Du kennst ja die Taschenbuch-Ausgabe über das ausführliche Interview mit ihr: ›Les yeux ouverts‹, ausgezeichnet ins Niederländische übersetzt unter dem Titel ›Mit offenen Augen‹. Aus dem abgeklärten Schatz ihrer Lebenserfahrungen erzählt sie über die mannigfachen Aspekte des Daseins und über die Art, wie ein intensiv lebender Mensch damit befaßt ist. Sie sagt zum Beispiel dieses:

»Man muß sich abrackern – kämpfen bis zum Ende; man muß im Strom schwimmen und sich gleichzeitig davon tragen und mitführen lassen, und man muß sich mit der Gewißheit abfinden, daß es einen unausweichlich dem Versinken in tiefer See entgegenträgt. Wer oder was aber ist es, was da versinkt? Es sind – zusammengenommen – das ganze Elend, die Sorgen und Krankheiten anderer und deiner selbst, verdichtet zu einem ganz natürlichen Teil des Lebens …« Oder: »Man muß das Leben bis zum Ende mit offenen Augen erfahren, und mit offenen Augen dann auch den Tod.«

Und irgendwo steht auch: »Je älter ich selbst werde, um so klarer wird mir, daß Kindheit und Alter nicht nur zusammengehören, sondern daß es gleichzeitig die beiden Lebensperioden sind, in denen uns die tiefsten Erfahrungen geschenkt werden. Die Augen eines Kindes und die eines alten Menschen blicken mit der Unbefangenheit und Ruhe jener, die entweder noch keine Mimikry kennen oder aber darüber hinweg sind. Was dazwischen liegt, war viel Lärm um Nichts – Hast und Hektik, die nirgendwo hinführte; ein Chaos, von dem man hinterher nicht mehr weiß, warum man überhaupt hindurch mußte.«

Sie ist eine sehr kluge, intelligente und große Persönlichkeit. Sie hat etwas auszusagen. Man sollte ›Mit offenen Augen‹ eigentlich immer in Reichweite haben.

Marguerite Yourcenar hat in ihrem langen Leben eine innere Harmonie gefunden, um die ich sie beneide. Es ist eine Harmonie, die den Ausgleich schafft zwischen dem, was den Sinn unseres Erdendaseins ausmacht, und dem, was unseren Tagesablauf bestimmt; sie erkennt die Relativität der Dinge. Die Verhältnismäßigkeit der Dinge begreifen zu lernen ist einer der Vorzüge des Alterns. Es geht tiefe Ruhe davon aus. Ich denke, daß eine ganz besondere, tröstliche Form der Ruhe in dieser

Welt, die ständig in irrsinniger Hast auf etwas zustrebt, auch von uns, den Alten ausgeht.

Und wenn wir daran glauben, bleibt uns der Trost, daß dieses letzte, mühselige Stück Lebensweg auch für uns einen Sinn hat.

Deine Ann

Hinweise auf das, was sie bewegte

Mit freundlicher Genehmigung der beiden Autorinnen Anne Biegel und Heleen Swildens zusammengestellt von Hanne Schleich

Asta Scheib im <u>dtv</u> großdruck

»Ich sehe täglich die Welt um mich herum.
Spannendes, oft absurdes Theater. Realsatire.«
Asta Scheib

Kinder des Ungehorsams
Roman
ISBN 978-3-423-**25288**-1

Martin Luther und Katharina von Bora: Die
»vielleicht skandalöseste Liebesgeschichte« (Radio
Bremen) – einfühlsam und packend erzählt.

Schwere Reiter
Roman
ISBN 978-3-423-**25125**-9

Zwei Freundinnen über fünfzig auf der Suche
nach neuen Herausforderungen des Lebens.
Ein positiver, Mut machender Roman.

Frau Prinz pfeift nicht mehr
Roman
ISBN 978-3-423-**25297**-3

Ein spannender Kriminalroman und eine bitter-
böse Gesellschaftssatire aus dem Herzen
Münchens.

Bitte besuchen Sie uns im Internet: www.dtv.de

Irene Dische im <u>dtv</u> großdruck

»Irene Dische schreibt so leicht und immer ein
wenig ungeduldig flink. Sie besitzt einen Humor,
der nicht den Zeigefinger hebt, sondern
angelsächsisch hurtig ein Zwinkern vorzieht.«
Rolf Michaelis in der ›Zeit‹

Großmama packt aus

Roman
Übersetzt von
Reinhard Kaiser
ISBN 978-3-423-**25282**-9

Bekanntlich verstrickt sich jeder, der über sein
eigenes Leben schreiben will, in ein Lügenknäuel.
Mit einem Kunstgriff entzieht sich Irene Dische
diesem Dilemma: an ihrer Statt erzählt Großmutter Elisabeth Rother, genannt Mops, und die
Enkelin setzt sich lustvoll ihrem süffisanten, gna-
denlos vorurteilsbeladenen Blick aus.

Bitte besuchen Sie uns im Internet: www.dtv.de

Renate Welsh im <u>dtv</u> großdruck

»Schreiben bedeutet für mich Stellung nehmen zu dem, was ist, und Hoffnung machen auf das, was sein könnte.«
Renate Welsh

Dieda
oder Das fremde Kind

Roman

ISBN 978-3-423-**25253**-7

Die sechsjährige Ursel muss mit dem Tod der Mutter, der neuen Frau des Vaters und den Kriegsereignissen fertig werden. – Eine bewegende Kindheitsgeschichte.

Liebe Schwester

Roman

ISBN 978-3-423-**25235**-5

Die verwitweten Schwestern Josefa und Karla leben gemeinsam in Wien. Ihre Beziehung ist liebevoll bis bissig. Eines Tages taucht die Enkelin von Karla auf und beginnt, Fragen zu stellen. Ein humorvoller Roman über zwei Schwestern, das Leben und die Liebe im Alter.

Bitte besuchen Sie uns im Internet: www.dtv.de

Henning Mankell im <u>dtv</u> großdruck

»Mankell liest man nicht, man trinkt ihn –
in einem einzigen gierigen Schluck.«
Dieter Heß im Bayerischen Rundfunk

Die Pyramide
Übers. v. Wolfgang Butt
ISBN 978-3-423-**25216**-4

Der Tod des Fotografen
Übers. v. Wolfgang Butt
ISBN 978-3-423-**25254**-6

Wallanders erster Fall
Übers. v. Wolfgang Butt
ISBN 978-3-423-**25270**-6

Der Mann am Strand
Übers. v. Wolfgang Butt
ISBN 978-3-423-**25283**-6

Bitte besuchen Sie uns im Internet: www.dtv.de

Henning Mankell im <u>dtv</u> großdruck

»Ich stehe da, mit einem Fuß im Schnee
und dem anderen im Sand.«
*Henning Mankell über sein Leben
zwischen Schweden und Mosambik*

Der Chronist der Winde
Übersetzt von Verena Reichel
ISBN 978-3-423-**25242**-3

Die Geschichte eines afrikanischen
Straßenkindes. »Dieser Roman hat
einen besonderen Platz in meinem
Herzen.« (Henning Mankell)

Tea-Bag
Übersetzt von Verena Reichel
ISBN 978-3-423-**25260**-7

Tea-Bag ist ein Flüchtlingsmädchen
aus dem Sudan. In Schweden begegnet sie einem gefeierten Autor. Ein
bewegender Gesellschaftsroman.

Das Auge des Leoparden
Übersetzt von Paul Berf
ISBN 978-3-423-**25290**-4

Aus einer kurzen Reise nach
Afrika wurden neunzehn Jahre
auf einer Farm in Lusaka. –
Mankells Meisterwerk.

Bitte besuchen Sie uns im Internet: www.dtv.de